LES DIMANCHES
DE
MADEMOISELLE
BEAUNON

DU MÊME AUTEUR

LES CORPS TRANQUILLES, La Table Ronde, 1948.

PAUL ET JEAN-PAUL, Grasset, 1951.

NEUF PERLES DE CULTURE (en collaboration avec Claude Martine), Gallimard, 1952.

LE PETIT CANARD, Grasset, 1954.

MAURIAC SOUS DE GAULLE, La Table Ronde, 1964.

LA FIN DE LAMIEL, Julliard, 1966.

AU CONTRAIRE, La Table Ronde, 1967.

CHOSES VUES AU VIÊT-NAM, La Table Ronde, 1968.

LETTRE OUVERTE AUX ÉTUDIANTS, Albin Michel, 1969.

LES BÊTISES, Grasset, Prix Goncourt, 1971.

HISTOIRE EGOÏSTE, La Table Ronde, 1976.

ROMAN DU ROMAN, Gallimard, 1978.

LE NU VÊTU ET DÉVÊTU, Gallimard, 1980.

LES SOUS-ENSEMBLES FLOUS, Grasset, 1981.

JACQUES LAURENT

LES DIMANCHES
DE
MADEMOISELLE
BEAUNON

roman

BERNARD GRASSET

PARIS

Premier dimanche après la mort de Paul

La vie sexuelle de Paul Bâche n'avait jamais préoccupé Mlle Beaunon qui pendant vingt-cinq ans avait été sa secrétaire et l'avait aimé sans éprouver le désir d'un échange affectueux et encore moins d'un contact physique. Dans la maison mortuaire sise, assez délabrée, sur un bord de la Loire, elle entrevit le défunt allongé sur un lit, et quelques-unes de ses femmes légales ou non. Il s'était éteint en avion au bout d'un tour du monde qui au bureau passait pour professionnel ; l'une des femmes qui l'avait escorté remit à Mlle Beaunon un petit caribou en os qu'il avait acheté pour elle pendant la dernière escale, celle de Toronto. Elle avait osé, juste avant qu'il partît, lui confier une faiblesse : elle collectionnait depuis longtemps des représentations d'animaux que d'aimables gens lui rapportaient de voyage chaque année. Il ne s'était rappelé ce vœu discret que dans l'antichambre de la mort mais elle était touchée qu'il eût pensé à elle pendant les dernières heures où il pensait.

Le Larousse lui apprit que le caribou était un renne dans le langage des indigènes du Canada. Au mot *renne* elle obtint des renseignements plus nombreux sur ce mammifère ruminant de la famille des cervidés qui atteint un mètre cinquante de haut. Le dictionnaire félicitait cet animal d'être sobre et résistant et de posséder des bois à andouillers aplatis en palette qui lui rendaient grand service pour découvrir les lichens sous la neige. Le petit caribou d'os ressemblait assez à celui de l'illustration mais il avait la tête baissée probablement pour brouter, encore que cette position donnât à ses bois une attitude menaçante.

Pas un instant Mlle Beaunon n'admit de placer cette relique au milieu des autres animaux qui, au nombre d'une soixantaine, occupaient une table de noyer, serrés les uns contre les autres faute d'espace. L'encombrement créait des voisinages dont elle avait quelquefois souri. Il arrivait à un minuscule éléphant en faux jade de téter avec sa trompe une grosse marmotte de bois ou à une souris d'agresser un rhinocéros. Le projet de rejeter cette ménagerie ne fit que l'effleurer. On ne peut pas vendre des cadeaux, elle ne pouvait pas non plus jeter les preuves de gentillesse qu'elle accumulait depuis plus de dix ans. A chaque retour de vacances elle avait toujours été aussi touchée par les marques que son entourage lui donnait de l'indulgence qu'il portait à sa manie. Même la femme de ménage espagnole, dont elle avait vaguement fait la connaissance en s'attardant au bureau après l'heure de fermeture, lui avait apporté un taureau en plastique. Elle songea à descendre ce qu'elle appelait son arche de Noé à la cave mais c'eût été condamner aux ténèbres une multitude de petites créatures qui représentaient de bonnes intentions.

Elle résolut de conserver provisoirement l'arche de Noé et de donner au caribou une situation solitaire et dominante. Elle s'emballa sur un projet qui consistait à déplacer un coq de granit qui était posé sur une colonne corinthienne. Ce coq était l'œuvre du père de Mlle Beaunon et l'aboutissement d'une longue histoire familiale. En 1870 l'arrière-grand-père de Mlle Beaunon qui servait comme mobile pendant le siège de Paris avait été tué sur la route du Bourget ; son fils, né un an plus tôt, avait cru devoir l'imiter et au bout d'une longue carrière de sous-officier il avait été mortellement blessé en 14 au nord-est du Bourget, laissant un fils, Victor, qui n'entendait pas du tout devenir chair à canon comme ses ancêtres. Son jeune âge le préserva d'abord, il prit ensuite la précaution de se faire réformer et sortit de l'école des Beaux-Arts juste à temps pour entrer dans l'atelier d'un sculpteur qui se spécialisait dans les monuments aux morts. De la guerre qui avait ensanglanté sa famille il recueillit seulement les capacités métaphoriques et se complut à modeler des France lourdement drapées offrant lèvres ou lauriers à des poilus cambrés qui parfois, si la commune en avait les moyens, soutenaient dans leurs bras quelque camarade blessé ; en général un coq gaulois aux ailes déployées comme celles d'un aigle surmontait la construction. Ce jeune homme qui, à vingt-deux ans, osait se présenter aux maires et aux conseillers généraux comme un pauvre orphelin de guerre, réussissait d'autant plus facilement à enlever les commandes qu'il s'était fait admettre dans la maçonnerie. Il avait amassé beaucoup d'argent en peu de temps et aussi le droit de tourner en dérision le courage et le désintéressement dont il croyait exploiter la vanité, de monument en monument.

Quand on gagne de quoi se faire bâtir à Picpus une belle maison entourée d'un jardin, qu'on obtient les Palmes académiques puis la croix de la Légion d'honneur, qu'on roule dans une Renault de douze chevaux, comment ne se prendrait-on pas pour un habile homme et ne serait-on pas enclin à esquisser à tout propos un cours sur l'art de réussir ? Mais Mlle Beaunon était née en un temps où le filon des monuments du souvenir était épuisé. La direction d'une maison des loisirs et de la culture donna encore à son père l'occasion de triompher mais la deuxième guerre mit fin à ses espérances et il dut se satisfaire d'un cours de dessin dans un lycée qui n'assurait guère que leur subsistance.

Il fut alors atteint de l'amertume qui est particulière à ceux qui se croient doués pour la ruse, qui au fond d'eux-mêmes se glorifient d'être des filous et s'étonnent d'être aussi mal récompensés que d'honnêtes gens. De même il ne s'était marié que pour épouser la fille d'un député dont il attendait beaucoup. Celui-ci, lui ayant joué le mauvais tour de mourir très vite, il avait considéré comme immoral d'avoir fait un mariage d'intérêt qui ne lui avait rien rapporté.

La seule passion gratuite de cet homme avait concerné les coqs. A force d'en jucher sur ses monuments il les avait aimés pour eux-mêmes et en avait élevé des douzaines qu'escortaient seulement deux ou trois poules destinées à leur délassement ; au matin le jardin retentissait de leur chant ; parfois il lui arrivait d'en égorger un mais c'était pour le faire naturaliser afin qu'il lui servît de modèle, car, bien après qu'il eut terminé son dernier monument aux morts, il continua de sculpter des coqs dans des postures variées, les donnant comme sujet de fusain à ses élèves qui pendant des années étaient tenus de dessiner des coqs successifs tantôt dressés sur leurs ergots, tantôt picorant, tantôt prêts au vol, tantôt tapis sur eux-mêmes pour attaquer. Le coq de granit que Mlle Beaunon était en train de soulever avec effort pour le déposer sur le parquet était le seul survivant de la tribu qui avait disparu à la salle des ventes après la mort de son auteur.

Elle serra davantage les petits animaux les uns contre les autres, juchant même une cigogne sur le dos d'un crocodile pour dégager au milieu de la table une place où, avec peine, elle parvint à hisser le coq, provisoirement se dit-elle. Posé sur un piédestal beaucoup trop puissant pour lui le caribou prit un air inquiet, il semblait dépaysé mais sa tristesse perplexe plut à Mlle Beaunon. Elle se demanda même si entre l'animal et Paul Bâche une ressemblance n'était pas née.

Débarrassée de cette tâche, encore essoufflée, elle se retourna pour dévisager de nouveau le caribou. La colonne paraissait trop froide pour lui. Elle se rappela que, lorsqu'elle avait fait poser les rideaux, des chutes de drap lui étaient restées qu'elle retrouva dans la penderie. Elle choisit un morceau d'un mètre carré qu'elle posa sur le sommet de la colonne entre le marbre et les pattes de l'animal. C'était un très beau drap. Mlle Beaunon éprouvait une affection grave envers certaines matières qu'elle tenait pour nobles, pouvant être aussi bien le marbre que le granit, le chêne que le sapin, la soie que le drap. Le prix n'était pas une valeur. Cette femme préférait l'argent à l'or et un beau noyer au bois de rose. Sans le savoir elle était tentée par une perfection dont elle fixait elle-même les lois.

Si elle disait : « C'est un bel été », le propos n'était pas oiseux, ni vaguement nostalgique quand elle évoquait avec enthousiasme l'été de 1976 ; ses jugements étaient étayés sur des observations et des certitudes qui évaluaient un été aux épaisseurs de ses nuits et de ses frondaisons, au bruissement des insectes, à l'exténuant triomphe des matinées. Elle employait *beau* et *bon* indifféremment. Une belle maison, une bonne maison, un beau tissu, un bon tissu. Elle mêlait à cette beauté ou à cette bonté une notion de bravoure et elle aurait pu dire aussi d'une maison qu'elle était brave. Bref dans sa manière de juger les choses faites par l'homme il y avait d'abord un goût de la loyauté qui ne reflétait pas exactement le reste de son caractère. Car si Mlle Beaunon avait été écœurée par le trop long numéro que lui avait offert un père admirateur de la fraude et incapable d'en tirer profit, si elle réprouvait fondamentalement la fraude, elle se savait agitée par des penchants louches qu'elle ne cherchait pas à vaincre. Mais pour se défendre contre eux elle recourait à la bonne belle bravoure de certaines matières qui la protégeaient contre le désordre. Le drap dans lequel avaient été coupés ses rideaux et dont un pan allait soutenir les sabots du caribou lui avait été vanté par un petit marchand de tissus presque centenaire qui semblait crédible quand il assurait que ce tissu avait servi pendant plus d'un siècle à la confection des culottes de gendarmes. La table sur laquelle les animaux s'écrasaient était d'un noyer aussi beau, bon et brave que le drap. C'était la qualité du chêne où les lames du parquet avaient été taillées qui avait décidé Mlle Beaunon à acheter cet appartement car elle haïssait les moquettes qu'elle tenait pour une sournoiserie feutrée à peine admissible sur les lieux de son travail, ne voulant, de retour chez elle, que fouler une surface noble. Elle aurait aimé jeter sur ses parquets plusieurs tapis mais elle avait préféré en acheter un seul, de petite taille, un précieux tapis de prière dont la photographie parut en couleurs dans une revue d'art.

Ceux qui croyaient que Mlle Beaunon arrivait tôt au bureau et ne le quittait que tard, et comme à regret, parce qu'elle n'aimait pas son intérieur et en redoutait la solitude, se trompaient. Pendant vingt-cinq ans elle était arrivée en avance pour le plaisir de déguster son attente de Paul Bâche. Au moment où il apparaissait son cœur battait un tout petit peu plus vite ; elle travaillait heureuse quand elle le savait dans le bureau voisin et même dans les étages inférieurs voués à la technique où il s'attardait à bavarder avec Juaurez, son inséparable, auquel il confiait régulièrement des films. Souvent c'était Juaurez qui montait parler avec lui. La voix de Paul Bâche grave et sourde se distinguait de celle de Juaurez plus forte, et aboyante. Cette présence vocale était reposante et charmante, et Mlle Beaunon grondait parfois les dactylos qui, derrière l'autre cloison, troublaient de leur jacassement la réception de ce concert familier. La C.T.R. que Paul Bâche dirigeait avait produit des films pour le cinéma puis n'avait plus guère travaillé que pour la télévision ; elle était une dépendance de l'U.G.R.A. qui occupait le building auquel les bureaux de production étaient accolés comme des communs à un manoir. Mlle Beaunon savait qu'au moindre déficit la petite société serait sacrifiée par la grosse, savait aussi que Courtelaine, adjoint que l'ambition de croître titillait, ourdissait des complots au deuxième étage et elle veillait au grain. De même si elle s'était attardée si longtemps le soir c'était pour respirer l'odeur des cigarettes que Paul Bâche avait fumées. Elle furetait dans les papiers, s'arrêtant sur les notes manuscrites où, à travers les caractéristiques de son écriture, il continuait d'être présent. Cette écriture était changeante, Mlle Beaunon avait appris à l'interpréter, décelant les moments d'angoisse, d'impatience ou de bonne humeur qui avaient jalonné la journée. Ces menus plaisirs intenses la tenaient parfois pendant une bonne heure ; quand elle partait, Butor, le gardien, devait appuyer sur un bouton pour déclencher l'ouverture des portes. Mais elle était presque toujours heureuse de se retrouver chez elle dans un appartement qui reflétait, pensait-elle, son caprice. Par caprice elle entendait son caractère, c'est-à-dire un certain nombre de petits traits dont chacun était peu significatif en soi mais dont la totalité suffit pour cerner le singulier d'un être.

Elle acceptait plus facilement de modifier une opinion claire qu'une opinion fumeuse. Elle avait par exemple tenu pour clair le mépris que le souvenir de son père lui inspirait et croyait même ne guère penser à lui mais un matin, ayant surpris Paul Bâche très occupé à faire reluire avec le bout de son écharpe de laine un petit vase de cuivre toujours posé sur son bureau, elle avait soigneusement écouté l'explication qu'il lui fournissait avec la volubilité d'un coupable qui s'est fait pincer en flagrant délit : il n'aimait pas ce vase et ne le conservait toujours auprès de lui que parce que son père y était très attaché. « Mon père, avait-il ajouté, y glissait un bouquet de mimosa artificiel et je hais le mimosa artificiel ou non. » Ce propos confus l'avait éclairée parce qu'elle avait cru comprendre que Paul Bâche, tout comme elle, ne restait attaché qu'à la part de son père qui lui déplaisait. Du coup elle s'était demandé si en croyant cultiver sa méfiance pour un père escroc, elle n'avait pas cherché à se duper. Son père n'était pas un escroc, mais simplement un arriviste qui enrageait de ne pas être arrivé et d'avoir été réduit à mener une vie exemplaire de père de famille veuf, élevant grâce à son travail deux filles qui le regardaient de travers.

Mlle Beaunon fut alors réduite à admettre qu'elle avait recueilli beaucoup plus qu'elle ne croyait de l'héritage paternel. Ne parlons pas des coqs car dans une illumination elle constata que si elle avait entrepris sa collection de petits animaux c'était parce que son père avait collectionné les coqs et qu'elle avait voulu à la fois, et sans se l'avouer, poursuivre dans la même voie et élargir à tous les échantillons de l'animalité la manie restreinte de son père. De même elle était née dans une maison qu'il avait fait construire, quelques années plus tôt, qu'il avait voulue massive, bâtie en pierre de taille, composée de très vastes pièces toutes presque aussi grandes que son atelier, à ce point que le nombre de ces pièces étant réduit, Mlle Beaunon et sa sœur ayant été obligées de partager la même chambre, haute de six mètres, longue de dix et large de huit, n'avaient pas trouvé d'autres moyens pour protéger leur intimité que de situer leur lit aux deux extrémités d'une diagonale. Or quand après la mort de son père Mlle Beaunon avait acheté rue Gaspard-Hauser un appartement de trois pièces flanqué d'une cuisine et d'une salle de bains, elle avait mal supporté l'exiguïté de chacun des compartiments et avait fait abattre les cloisons qui séparaient ces pièces et celle qui isolait le couloir. Elle avait ainsi réussi à établir une salle de dix mètres de long et de sept de large qui, peu meublée, lui rendait l'illusion de la vastitude où elle avait été élevée.

En accomplissant cet acte de chirurgie architecturale elle n'avait pas songé à son enfance. Il avait fallu la confidence ambiguë de Paul pour qu'elle s'interrogeât davantage sur les sentiments qu'elle pouvait bien éprouver pour son père. Elle ne lui reprochait pas vraiment son goût de la combine ni son impuissance à devenir le magouilleur qu'il avait rêvé ; elle ne pouvait pas l'accuser d'avoir rendu malheureuse une mère qu'elle avait à peine connue ; impossible aussi de lui faire grief de lui avoir préféré sa sœur, car il posait sur toutes les deux le même regard volontairement myope, veillant avec un soin égal sur leur croissance.

Tolérant il était même tolérable sauf lorsque, renonçant à ses habituelles remarques d'ordre pratique ou aux accès de mauvaise humeur qui le prenaient à intervalles presque réguliers comme certaines migraines récurrentes et l'obligeaient à répéter le même réquisitoire contre une société qui avait déçu ses ambitions, il se hasardait inopinément à amorcer une conversation personnelle, presque intime avec l'une de ses filles. Dans ces circonstances (rares) Mlle Beaunon conservait un calme plat et froid, répondait peu et avec bon sens, ne brusquait pas la fin de l'entretien mais évitait qu'il se prolongeât. Elle éprouvait durant ces moments une gêne ; le mot *gêne* lui était venu tout naturellement à l'esprit. Il me gêne, je suis gênée.

On ne peut pas détourner longtemps la pensée de ce qu'elle cherche et Mlle Beaunon, malgré qu'elle en eût, buta contre la certitude qu'elle venait d'acquérir : la gêne lui était nécessaire, elle aimait être gênée, elle en cherchait même l'occasion et ce vice avait orienté et désorienté sa vie. Le mot *vice* lui était familier, tout en restant obscur. Depuis longtemps elle se savait vicieuse mais elle ne voulait pas savoir en quoi. Brutalement elle se mettait au courant, « au parfum » se dit-elle en essayant de sourire, se sentant transparente comme le caribou.

Elle n'avait pas baissé les stores et de l'autre côté des deux grandes baies qu'elle avait fait percer après avoir abattu les cloisons une nuit approfondie s'était installée. Mlle Beaunon s'allongea sur le banc. Bien qu'il fût dur et étroit, sans se déshabiller, elle s'endormit. Au bout de quelques heures elle tomba et se rendormit sur le parquet en pensant avec une certaine indifférence que le choc qui l'avait légèrement meurtrie devait être à peu près semblable à celui que Paul Bâche avait subi au moment où son cœur avait refusé de continuer à battre.

Quand elle s'éveilla, dimanche matin régnait, si lumineux que l'éclat électrique était effumé. D'un coup de reins elle se releva, choquée d'avoir dormi tout habillée. Elle se dévêtit précipitamment, passa une chemise de nuit, s'enfonça dans le lit, s'obligea à fermer les yeux pour se donner le droit de s'éveiller en règle. Une nuit un peu anarchique l'aurait troublée comme un péché et c'était sans doute la trace la plus évidente de son éducation catholique. Pour le principe elle réussit à s'endormir et à s'éveiller un peu avant dix heures comme elle en avait l'habitude le dimanche. Les baies rayonnaient. Elle se leva, tira à moitié les rideaux, abaissa de cinquante centimètres les stores pour apprivoiser la lumière puis elle resta plantée devant une casserole d'eau en attendant l'ébullition, sa boîte de thé à la main. On veut donner une certaine opinion de soi non seulement aux autres mais à soi-même. Dans le goût que manifestait Mlle Beaunon pour les matières « nobles », les produits « de race », le thé avait son rôle. Elle se croyait tenue de ne pratiquer que le thé Earl Grey ou le Lapsang Souchong qui la rassuraient non pas exactement comme une preuve de savoir-vivre mondain mais comme un certificat de bonne vie et mœurs dont elle avait besoin parce que son penchant à savourer la gêne l'entraînait parfois hors de ce que son père aurait appelé en ricanant « le droit chemin ».

La tasse de thé terminée, elle décida d'entrer en action et se précipita dans la cuisine. Celle-ci n'était séparée de la grande salle que par une tenture, et par une autre de la salle de bains qui la jouxtait. Il y avait un peu de vaisselle à laver, elle la lava. Puis les travaux s'enchaînèrent. Elle passa le carrelage au savon noir, l'évier à l'Ajax, briqua la salle de bains qui n'en avait aucun besoin puis revint dans la grande salle dont elle attaqua le parquet à l'aspirateur. Elle jetait de fréquents regards au caribou solitaire et au pauvre vieux grand coq assailli par la peuplade de l'arche de Noé. Le nettoiement des animaux fut long, le caribou seul y échappa. Elle le polit en le caressant des yeux.

Se rappelant que sa poubelle était pleine elle la descendit en chemise de nuit. C'était une de ses audaces. Au rez-de-chaussée il lui fallait atteindre le réduit où elle vidait sa poubelle. Plusieurs fois il lui était arrivé d'avoir été rencontrée, dans cette tenue, et d'avoir profondément goûté sa gêne. Quand elle tombait sur un voisin, elle cherchait à se faire excuser en prétendant que ne comptant pas sortir elle ne s'était pas habillée, ce qui l'obligeait à rester chez elle

pendant le reste de la journée. Elle ne rencontra
personne et rentra sans se presser, s'attardant au
moment d'ouvrir sa porte pour courir un dernier
risque. Elle fit sa toilette ensuite, ce qui présentait
l'inconvénient d'éclabousser un lieu qu'elle venait de
fourbir. Mais elle ne pouvait s'y prendre autrement
tenant pour absurde de se laver avant d'avoir terminé
les travaux salissants. Sa montre lui apprit qu'il était
midi et elle se hâta de s'habiller et de se maquiller
pour être prête à l'arrivée de sa nièce dont le train
était entré en gare du Nord dix minutes plus tôt. Au
moment où elle s'apprêtait à savourer la vague de
bonheur que lui donnait toujours la certitude d'en
avoir fini avec les tâches qu'elle s'était assignées elle
découvrit que le lit n'était pas fait. Comme chaque
dimanche, elle changea les draps, disposa deux oreillers au lieu d'un et mit un soin particulier à tirer les
couvertures, à ajuster le dessus-de-lit. Alors elle
s'offrit précipitamment à son moment d'euphorie,
précipitamment parce qu'elle savait imminente l'arrivée de la nièce. Il lui arrivait parfois de fumer de très
petits cigares, elle en alluma un après avoir soulevé la
baie, ce qui permit à un air tiède de s'emparer des
lambeaux de fumée, de les tordre avec lenteur et de
les dilapider.

Mlle Beaunon et l'âme

Elle suivait l'enroulement et le développement des
volutes dont le bleu blanchissait jusqu'à s'évanouir ou
s'assombrissait en tournoyant sur la pâleur des stores et
il était trop facile de comparer cette vapeur ondée à une
âme pour que Mlle Beaunon s'y laissât tout à fait

prendre. Mais une âme en dérivant passe peut-être par
un état analogue à celui de la fumée. Après tout !

Paul avait raconté à Juaurez qu'à l'époque où il était
à la Sorbonne il avait travaillé pour un éditeur qui
publiait des bandes dessinées où le texte était réparti
entre une légende qui courait sous les images et des
bulles qu'on appelait alors des foies de veau ; au-dessus
de la légende annonçant que le shérif rendait son
dernier soupir, Paul, métaphoriquement, avait laissé la
bulle vide ; la bande était déjà sortie quand l'éditeur
découvrit ce qu'il appela une plaisanterie macabre en
renonçant aux services du jeune homme. Paul avait
ajouté que cet espace courbe, vide et blanc qui s'échappait de la bouche du shérif représentait parfaitement la
mort aussi bien pour celui qui croit dans la survivance
de l'âme que pour celui qui n'y croit pas. Juaurez avait
objecté qu'à une bulle il aurait préféré une forme plus
torsadée et Paul avait dit : «, Regarde, quelque chose
comme ça ? » Après leur départ elle s'était ruée dans le
bureau, avait fouillé la corbeille à papier et avait trouvé
une feuille chiffonnée sur laquelle, au feutre, Paul avait
tracé une tresse confuse et échevelée. Cette tresse
Mlle Beaunon la regardait s'allonger, se déchirer et se
dissoudre, aspirée par un mouvement de l'air qui
l'entraînait vers l'extérieur. Elle ne pensa pas que l'âme
de Paul lui était apparue mais elle crut en avoir saisi un
reflet en se demandant pourquoi les âmes borneraient
leur empire sur les gaz et ne se réfléchiraient pas dans
des surfaces solides. Mais elle se rappela, couché sur le
lit et sombrement vêtu, le corps de Paul qui semblait être
intact et n'avoir perdu qu'un fluide c'est-à-dire tout.
Puisqu'il n'était plus dans ce corps c'est qu'il était parti
dans ce fluide dont une nouvelle tresse de fumée
donnait encore la représentation. Elle avait des idées

qui n'en étaient pas tout à fait mais qui lui suffisaient pour croire en la pérennité de l'âme sans avoir le moindre besoin de recourir à l'existence de Dieu. La tresse s'immobilisa, pendue dans l'atmosphère, très foncée comme si le bleu de la fumée de tabac s'était concentré. Mlle Beaunon était fascinée, elle jeta un cri quand, à la vitesse d'un éclair, cette tresse devint horizontale, se rua dans la pièce où elle disparut.

— Salut, Yvonne !

L'appel d'air avait été causé par l'ouverture de la porte palière dont Mlle Beaunon n'avait pas entendu grincer la serrure. Privée de Paul elle se tourna vers sa nièce qui entrait à larges enjambées retenant sur son épaule le bissac de toile que son jules lui avait rapporté d'un voyage en Calabre. Mlle Beaunon avait toujours détesté le prénom de sa nièce, Yolande, et pendant des années elle avait également détesté l'habitude autoritaire que cette nièce avait prise de l'appeler par son prénom. Elle n'avait jamais osé s'opposer ouvertement à cette familiarité, Yolande appelant également par son prénom sa mère et ce style obéissant peut-être à celui de l'époque. A la longue même elle avait découvert la douceur d'entendre ces syllabes intimes sortir naturellement de la bouche de sa nièce. Au bureau on lui avait toujours dit « Mademoiselle Beaunon », dans les cafés, dans les magasins on l'appelait « Madame ». Dans l'immeuble les voisins l'appelaient « Madame » ou « Mademoiselle » et elle savait qu'aux yeux de beaucoup d'entre eux elle passait pour une femme divorcée. « Yvonne » prononcé par une jeune fille lui donnait l'illusion d'être une jeune fille sans le croire et sans le souhaiter car de sa jeunesse elle gardait une saveur acide. Elle aimait mieux rêver de sa jeunesse que la vivre mais la rêver lui était agréable et quand Yolande l'embrassa elle se plut à imaginer qu'elles étaient deux copines qui se retrouvaient.

— Ça, ça te ressemble, observa Yolande, tu es habillée comme pour un enterrement. Le pire c'est que ça te va bien, mais tu exagères.

— L'enterrement j'en reviens. Il a eu lieu hier. J'ai bien le droit de porter un peu le deuil si ça me fait plaisir.

— Tu as perdu un être cher ? demanda Yolande sur un ton où l'on ne pouvait déceler ni ironie ni attendrissement.

— C'est bien mon droit.

— D'un cancer bien évidemment.

— D'un cancer du cœur.

— Du cœur ! C'est une drôle d'idée mais en tout cas tu as raison, ce noir et ce mauve s'entendent très bien.

A la C.T.R. le pantalon n'était pas interdit aux femmes mais tacitement déconseillé et seules, incarcérées au premier et au sous-sol, les techniciennes du montage et du son s'en permettaient l'usage. Donc pour Mlle Beaunon le port de ce vêtement signifiait la liberté non parce qu'il s'intégrait à la vêture masculine ou parce qu'il facilitait les mouvements mais parce que sa présence prouvait le jour férié ou les vacances. De plus ce pantalon de velours noir était enguirlandé de menus plaisirs intenses : en solde il n'avait coûté qu'une toute petite somme, celle-ci correspondait exactement à un trop-perçu fiscal reçu le matin même comme un cadeau, aucune retouche n'avait été nécessaire, le vêtement étant tombé d'accord avec le corps de Mlle Beaunon d'emblée. Tout en s'étonnant qu'il existât des manières agréables de porter le deuil, elle considérait sa nièce. Comme elle doutait absolument de son goût vestimentaire elle avait posé en principe de choisir des couleurs qui lui déplaisaient et de les apparier contre son inspiration.

Yolande était d'une taille élevée — ainsi en jugeait Mlle Beaunon elle-même plutôt grande et baraquée —, elle montrait une chair rose et transparente toute claire malgré les efforts qu'elle additionnait pour brunir, des yeux du même bleu faïence que sa tante, un nez relevé, contrairement à la tante qui bourbonnait un peu, une blondeur qui semblait acide quand elle marchait avec décision et devenait tendre nonchalance dès qu'elle s'asseyait ou mieux s'allongeait. Elle s'allongea sur le lit et rit sans motif, comme on bâille, découvrant de petites dents bien taillées et bien rangées. Les jambes et les bras étaient épais comme ceux d'une nageuse encore adolescente mais elle étonnait par un cou gracile et adulte, une nuque légère au-dessus de laquelle se lovait un chignon d'or pâle. Mlle Beaunon n'avait rencontré que sept ou huit filles devant lesquelles, aussitôt, elle avait eu envie de devenir homme. Yolande était de ces filles mais Mlle Beaunon n'étant jamais devenue un homme les relations avec sa nièce étaient demeurées normales et même prudes car toutes deux étaient pudiques à l'extrême malgré leur cohabitation dominicale. Habillée d'un tee-shirt rose très échancré sur la gorge et d'une jupe indienne trop souple dont il était tentant d'imaginer la caresse, Yolande était pire que nue pour Mlle Beaunon qui détourna les yeux, en goûtant le plaisir d'être puritaine, mais ne put s'empêcher de reporter son regard sur cette statue à peine vêtue qui n'était pas frappée par le soleil, baignant dans une forte lumière diffuse comme certains ports peints par Corot en Italie. En traversant son esprit le mot « statue » avait fourni à Mlle Beaunon le programme de son après-midi ; une fois de plus elle irait au musée Rodin.

— Chérie j'ai faim !

— Va voir, mais je te préviens qu'hier je n'ai pas eu le temps de faire le marché. A cause des obsèques.

En attendant le retour de sa nièce Mlle Beaunon qui s'était levée regardait un rectangle de ciel dont le bleu était transparent et un peu blond. Elle éprouvait sans le savoir le sentiment de la beauté et du coup elle fut tentée par le musée du Louvre qui enferme de nombreux ciels d'Italie, d'Ile-de-France, de Hollande. Elle connaissait peu les noms des peintres et des tableaux mais sur des souvenirs précis, un nu, un arbre, une barbe qui lui servaient de repères elle se guidait sans peine. Si le ciel qu'elle admirait l'entraînait vers les ciels du Louvre, son éclat préautomnal aussi troublant que celui du printemps lui donnait en même temps le besoin de voir les corps de Rodin.

Mlle Beaunon et les arts plastiques

Pour elle Manet, le Titien, Ingres, Rodin, Rembrandt, Delacroix avaient à quelque vague nuance près vécu à la même époque. Le passé lui apparaissait d'ailleurs assez court. Il n'était tenu de contenir que ce qu'elle se rappelait de sa vie et de celles de sa mère, de son père, du grand-père tué en 14 et de l'arrière-grand-père tué en 70, plus une petite rallonge où Phidias et Rubens cohabitaient. Le souci de situer une œuvre dans

*le contexte de son époque lui aurait donc paru incom-
préhensible. Elle ignorait l'histoire de l'art. Dans les
musées et les expositions elle achetait volontiers des
reproductions qu'elle classait à sa guise dans des
cartons à dessin. Il lui était aussi arrivé de se procurer
des livres qui concernaient des tableaux qu'elle n'avait
pas vus à Paris mais achetait-elle un ouvrage sur
Cranach qu'après avoir découpé les photographies elle
jetait sans regret le reste, bien résolue à ne jamais
comprendre qu'on pût traduire l'œuvre d'un peintre en
mots et en signes de ponctuation. D'ailleurs Mlle Beaunon ne lisait jamais un livre, possédait seulement
quelques dictionnaires et s'en trouvait bien. Il était
arrivé que Paul lui donnât à lire des synopsis, elle
s'acquittait correctement de cette tâche et fournissait des
critiques dont il était souvent tenu compte. Le service
était abonné à plusieurs quotidiens et magazines,
Mlle Beaunon les parcourait volontiers mais jamais elle
n'aurait entrouvert un ouvrage d'histoire, fût-il anecdo-
tique, ou un roman. Son père avait accumulé un assez
grand nombre de traités concernant la technique pictu-
rale ou sculpturale, elle en admettait l'utilité pour les
artistes mais, profane, elle les avait revendus, pressée
de se débarrasser de ces attrape-poussière.*

*Elle ne distinguait pas l'œuvre du peintre et l'œuvre
de la nature et bien qu'elle hantât peu la campagne elle
s'arrêtait devant certains spectacles, des bœufs buvant
dans une rivière rosie par le soleil couchant qu'elle
admirait avec autant d'élan que s'ils étaient peints par
Troyon, regrettant seulement de n'être pas munie d'un
cadre vide qui lui aurait permis de cerner l'objet de son
plaisir. Ceux qui confondent le sujet et le tableau
levaient le cœur de William James, lèvent le cœur de*

*tous les critiques, il faudrait, pour en rencontrer un qui
considère légitime cette confusion, remonter à Diderot.*

*Pourtant Mlle Beaunon était elle-même surprise par
les inconséquences dont elle se voyait coupable. N'aimant guère la viande, éprouvant plutôt un léger dégoût
pour elle, il lui fallait consommer surtout des légumes et
des fruits, tous les fruits, sauf les pommes qu'elle avait
en horreur. Or elle raffolait des pommes peintes,
pommes d'un chromo ou pommes d'un Cézanne. Autre
inconséquence : elle avait peur des lacs — notamment
du Léman qui pendant les dix jours qu'elle passait chez
sa sœur lui faisait face — mais elle les appréciait
gravés. Elle n'aurait pas su distinguer une gouache
d'un pastel ou d'une huile mais elle avait son opinion
sur la gravure, ayant observé, répertorié et découvert
que cette technique consiste à utiliser pour rendre toute
la création, outre le blanc c'est-à-dire le vide, l'absence
ou la plénitude, trois signes, la droite, la courbe et le
point qui donnaient l'illusion de la clarté, des ténèbres
et de l'ombre, de la chair, de la pierre, de l'herbe, du
feuillage, du ciel, des nuages et des éclairs donc du rêve
amoureux et de la colère. Pour montrer la surface d'un
lac l'artiste recourt à des droites horizontales et parallè-
les qui selon les rapports de l'eau avec la lumière sont
plus ou moins proches les unes des autres ; qu'une
cascade se jetât dans le lac elle exigeait des droites
verticales ; qu'une tempête agitât le lac et les droites se
rencontraient en angle obtus, cédant aussi la place à
des courbes où le blanc signifiait l'écume comme dans
le ciel il pouvait signifier l'éclair. Elle raffolait des
troncs d'arbre aux écorces gercées et crevassées, aux
racines apparentes qui rampent et se tordent comme des
tentacules ; elle prêtait une action à cette immobilité,
montrant un goût, presque une passion, pour la repré-*

sentation du mouvement dans les arts, peut-être parce qu'elle savait que le mouvement lui seyait et qu'elle rajeunissait dès qu'elle s'affairait ou parlait avec animation. Aussi regrettait-elle que la plupart des sculpteurs ne créent que des êtres immobiles et muets, beaucoup de peintres aussi ; elle éprouvait de la reconnaissance pour les corps folâtrants de Botticelli, la Marseillaise de Rude qui déploie une si grande bouche, pour les enfants chanteurs de Luca della Robbia ouvrant leurs lèvres et gonflant leur gorge.

Elle reconnaissait à la sculpture un avantage sur la peinture : on peut tourner tout autour d'une statue donc lui donner le mouvement. Elle aimait se déplacer lentement et ayant fait le tour du piédestal dans un sens le refaire dans l'autre en ralentissant devant les régions d'un nu qui la frappaient le plus, les croupes, qu'elles fussent masculines ou féminines, les ventres féminins. Elle regrettait jusqu'au chagrin de ne pouvoir effectuer ce mouvement tournant quand elle était face à un tableau dont la manière donnait l'illusion du volume.

— Tu regardes le beau temps, dit Yolande.

Il y avait de l'enfance dans cette phrase, Mlle Beaunon en fut touchée. Elle détacha son regard du ciel et vit que la jeune fille était assise sur le lit le dos appuyé au mur, une assiette posée sur ses genoux qui contenait un pot de yaourt, deux tomates et quelques tranches de concombre. Auprès d'elle, sur le dessus-de-lit, une boîte de sel et un morceau de reblochon attendaient gravement sur une feuille de sopalin. Elle révélait paisiblement ses cuisses malgré sa pudeur car celle-ci s'appliquait strictement à certaines régions de son corps, ne concernant ni les seins puisque leur

nudité était licite sur les plages ni les cuisses puisque
les minijupes et les shorts leur avaient permis d'apparaître à ciel ouvert. Mais Yolande cachait avec
acharnement ses fesses, son sexe, son abdomen et
singulièrement son nombril, même à la plage ou à la
piscine où elle portait des slips qui mordaient sur les
jambes et montaient au-dessus de la taille. En montrant ses cuisses sous sa jupe Yolande ne donnait pas à
Mlle Beaunon le délice d'être gênée, elle l'agaçait tout
comme l'agaçait une des dactylos, Mlle Octobre, qui
quand elle souriait exhibait ses gencives, et elle
souriait beaucoup, et sans gaieté.

De plus Mlle Beaunon était confusément irritée par
la certitude que dans l'après-midi Yolande révélerait
la région secrète de son corps à Lucien, long garçon
au grand nez, toujours vêtu de beige et beige de
cheveux, de teint et de dents. Elle pensait toujours cet
« escogriffe de Lucien ». Mais elle se censurait depuis
que Paul Bâche six mois plus tôt l'avait reprise sur ce
terme. Laissant Yolande à son pot de yaourt, elle
courut vers la salle de bains qui comportait une
penderie où elle entreposait les cartons à dessin qui
contenaient les photographies des œuvres qu'elle
jugeait nécessaires à sa santé ; l'un d'eux dissimulait
l'existence d'un carnet où elle avait noté les rares
conversations personnelles qui s'étaient produites
entre Paul Bâche et elle. Elle revint avec le carnet et
se plaça dans l'éclat solaire de la baie pour l'entrouvrir. Elle savait que Yolande, qui raclait son pot avec
ardeur, ne l'interrogerait pas. Elle feuilleta, tomba
sur la bonne page et lut : « *Moi :* Pendant que vous
étiez au montage il est encore venu cet escogriffe qui
ne dit jamais son nom et que vous évitez de recevoir.
Je lui ai répondu que vous étiez absent, sans préciser

davantage. *Paul :* D'où vous vient escogriffe, mademoiselle Beaunon ? Il y a un demi-siècle que le mot
n'a plus cours, il vous vient de loin, non ? *Moi :* Je ne
me rappelle pas. Mon père ne disait pas escogriffe.
Paul : Mais vous avez été plusieurs années chez les
bonnes sœurs ? *Moi :* En effet il est très possible que
ce soit elles. *Paul :* Quand on emploie escogriffe, on
emploie aussi, c'est presque une loi, olibrius et
ostrogoth. *Moi :* Ostrogoth me dit quelque chose.
Paul : De même, dans ce vocabulaire dépassé, qui
disait triste sire disait aussi vilain monsieur. Mais
surtout que ça ne vous empêche pas, mademoiselle
Beaunon, d'employer escogriffe quand ça vous fait
plaisir parce qu'à moi aussi ce mot fait plaisir, il
m'envoie l'odeur d'une de ces armoires qui ont
contenu des piles de draps confits dans du vétiver. »
Machinalement elle lut la conversation suivante :
« *Moi :* M. Chomel est passé, il voulait vous dire un
mot, il vous a laissé un rapport. *Paul :* Je ne le lirai
guère, cet homme ne m'intéresse pas. *Moi :* Il est un
peu suffisant. *Paul :* Et surtout insuffisant. (Paul me
croit imperméable à l'ironie, il a fait ce jeu de mots
pour son seul divertissement, j'ai d'autant plus
savouré ce trait qu'il me le croyait indéchiffrable, c'est
intéressant d'être vue autrement qu'on est mais peut-
être que c'est quand même dommage.) » Elle résista
au désir de poursuivre une lecture qui était pour elle
une musique et un arôme dont elle ne se permettait
l'usage qu'à petites doses et se hâta de gagner la salle
de bains et de remettre le carnet où elle l'avait pris.
Quand elle revint ce fut pour demander à Yolande qui
terminait son morceau de reblochon :

— A quelle heure arrive-t-il ton jules ?

— Tu m'avais dit deux heures, je lui ai dit deux heures.

Mlle Beaunon regarda sa montre et constata qu'il lui restait une vingtaine de minutes.

— Mais tu sais, dit Yolande, Lucien est toujours content de te rencontrer.

— Je le verrai peut-être à mon retour, vers six heures.

— Tu es de mauvaise humeur, qu'est-ce qui ne va pas ?

Emue par le moment qu'elle avait passé avec le carnet, impatiente de courir bientôt vers le musée Rodin, Mlle Beaunon ne fut pourtant pas étonnée par la remarque. Au bureau, Paul aussi bien que les dactylos ou les visiteurs la jugeaient souvent revêche ou maussade ou travaillée par un malheur secret ; cela tenait, selon elle, d'un méchant air qui lui était habituel lui donnant l'apparence de la réserve et d'une réserve sombre, proche de la réprobation, qui était dû à sa bouche infléchie vers le bas par la nature et non par l'habitude. Et lorsqu'elle essayait, comme on se farde, de se donner une mine enjouée elle avait l'air de préparer un mauvais coup. Donc elle admettait qu'on la crût de mauvaise humeur ou d'humeur critique.

Elle se jugeait gaie et se croyait certaine de posséder sur elle-même le meilleur jugement qu'on pût porter. Elle se savait munie d'un beau corps, juste un peu trop ample (quatre ou cinq kilos de trop et encore faudrait-il s'entendre sur l'embonpoint féminin avant de légiférer), mais savait aussi que, vêtue, ce corps ne paraissait pas, n'existait plus. Qu'il fût beau et qu'il triomphât c'était l'évidence quand elle l'examinait dans la glace de la salle de bains mais plus

probant quand un homme le découvrait. Cela se
voyait bien dans son regard surpris et cette surprise
était vexante mais douce surtout. Que ses seins
fussent glorieux, sa sœur l'avait reconnu avec un sec
« t'as de la chance, toi » qui sous-entendait : une
chance imméritée et inutile. Même sa nièce qui
n'avait entrevu cette poitrine qu'une fois dans une
cabine de bains avait poussé un soupir enthousiaste et
navré qui signifiait à peu près : que de biens perdus...
car de Paul à Yolande tout le monde croyait vierge
M\ll e Beaunon. Elle le savait, elle en était satisfaite ; il
lui plaisait qu'on se trompât sur elle et il lui arrivait de
mentir pour le plaisir de passer pour une autre.

Quelques jours plus tôt, dans le métro, bavardant
avec une voyageuse qui, c'est très rare mais ça arrive,
avait lié conversation, M\ll e Beaunon avait prétendu
exercer la profession d'infirmière et s'était laissée
aller à raconter qu'elle courait faire une piqûre, par
amitié, à un vieux gardien de square atteint d'agora-
phobie, ce malheureux était astreint à une piqûre
quotidienne dont se chargeait une infirmière du
voisinage, mais celle-ci avait pris ses vacances, elle
avait désigné une remplaçante qui n'avait rien trouvé
de mieux que de partir en vacances à son tour sans
désigner personne « sans même prévenir, madame,
c'est quand même scandaleux ». Elle avait réussi à
inventer qu'elle avait connu ce gardien à une époque
où il était encore en activité et où elle-même avait
souvent rendez-vous avec un ami dans un square
qu'elle situa devant le Bon Marché, que cet ami, à
cause de son travail, était parfois en retard et qu'en
l'attendant elle jetait du pain aux pigeons parce
qu'elle adorait les pigeons (elle les détestait), elle
aurait inventé la vie de ce gardien, la vie de cet ami, sa

propre vie si l'arrivée de sa station ne l'avait pas interrompue. Ses relations avec l'ami auraient même pu être scabreuses car Mlle Beaunon ne tenait à sa virginité qu'au bureau, en famille et dans son immeuble.

Mais elle ne jouait jamais les séductrices, s'estimant à peine capable d'être séduite, parce que sous le regard des autres, étant vêtue, elle se ressentait fade comme certaines viandes qui sont tendres et honnêtes mais qui ne retiennent par aucun attrait goûteux. Persuadée que l'on séduit mieux par le ton des paroles que par leur contenu elle n'avait jamais cherché ce ton parce qu'elle avait d'emblée renoncé à l'obtenir. Il y avait de la modestie dans son cas, et peut-être de la paresse, bien qu'elle fût travailleuse au bureau et chez elle. Cette modestie n'allait pas jusqu'au renoncement, bien au contraire. Elle regardait sa nièce avec un amusement invisible : « Ma petite, pensait-elle, des hommes j'en ai eu beaucoup plus que toi et certainement plus que tu n'en auras eu quand tu atteindras mon âge. »

De la cuisine un bruissement d'eau avait annoncé que Yolande faisait sa courte vaisselle. A son retour elle ouvrit les hostilités :

— Et puis je n'aime pas, quand tu parles de Lucien, cette habitude que tu as prise de me dire : ton jules. C'est dépréciatif pour lui comme pour moi.

— Pas dépréciatif, pratique.

— Tu veux faire jeune, paraître dans le coup mais dans ta bouche c'est ridicule.

Décidément c'était Yolande qui montrait de la mauvaise humeur. Elle insista :

— Ridicule et dépréciatif.

Mlle Beaunon se garda de répondre trop occupée à

s'émerveiller que Paul Bâche effectuât une nouvelle apparition. Il lui avait un jour fait observer que le jules de Mlle Octobre était toujours fourré dans le bureau, un peu trop même. Aussitôt après il avait craint d'avoir choqué Mlle Beaunon par l'emploi de ce mot, si courant qu'il fût, et avait invoqué, pour se justifier, l'utilité qu'il présentait. Cette conversation Mlle Beaunon l'avait consignée dans son cahier mais elle se la rappelait si bien qu'elle n'éprouva pas le besoin de se reporter au texte. Paul sans doute inquiet de s'être hasardé dans des explications les avait prolongées, il n'arrivait plus à s'en sortir. Il avait exposé à Mlle Beaunon, comme si celle-ci habitait un autre continent ou un autre siècle, que les mœurs ayant changé, « son amant » ou « son ami » étaient devenus indicibles et que « jules » et « petit ami » étaient accourus à point nommé pour faciliter la conversation, il avait dit textuellement « au niveau de la conversation » et s'en était aussitôt diverti en remarquant, ce qui lui permit d'en finir enfin avec le sujet, que pendant des siècles on n'avait éprouvé nul besoin de ce terme pour rendre compte de l'appartenance d'une idée à un domaine alors que maintenant nous ne pouvions plus arriver à nous exprimer sans recourir à lui. Mlle Beaunon était heureuse parce qu'elle acquérait la certitude que Paul ne l'avait pas quittée et que quotidiennement il surgirait au moindre détour d'une pensée ou d'un propos. Elle prit son sac et posa un baiser sur la joue de Yolande.

— Tu n'attends pas Lucien ?

— Il est plus de deux heures. Je le verrai un autre dimanche ou ce soir si tu le gardes à dîner. Tu ne veux pas qu'on aille au restaurant ?

Yolande secoua la tête consciente du balancement ondé de sa chevelure.

— Bon, je passerai chez Debussy avant de rentrer.

Renfrognée, Yolande au lieu d'accompagner sa tante jusqu'à la porte s'était jetée sur le lit. Cette démonstration eut un succès complet et dans l'ascenseur Mlle Beaunon entreprit de s'adresser des reproches : puisqu'elle acceptait la présence de sa nièce ne devait-elle pas se montrer plus accueillante ? Ou bien elle lui refusait sa porte, à cette nièce, ou bien elle complétait son hospitalité par un sourire. Elle fut tirée de cet examen de conscience morose par une vieille dame toute vêtue de noir qui au rez-de-chaussée attendait l'ascenseur.

— Aujourd'hui, déclara celle-ci avec un débit précipité, mon fils avait invité des collègues à déjeuner. J'ai préféré les laisser bavarder ensemble. J'irai seulement prendre le thé sur le coup de cinq heures. Mon fils insistait, ajouta-t-elle avec véhémence, comme si elle craignait de ne pas être crue, il me disait au téléphone, viens maman, viens, mes amis seront ravis de te voir, je lui ai répondu les jeunes avec les jeunes et j'ai raison n'est-ce pas ?

Sur cette terre Mme Tiran n'avait qu'une peur, qu'on la crût abandonnée, esseulée, qu'on la plaignît. Elle rendait aussitôt compte des visites qu'elle faisait à son fils et des rares passages de celui-ci. Elle invitait et dès qu'elle avait quelques hôtes se montrait laborieusement bruyante pour informer l'immeuble. Quand Mlle Beaunon avait emménagé, elle avait reçu une visite de Mme Tiran qui tenait à lui signaler qu'elle donnait souvent des soirées dont l'une était bruyante, celle des spirites qui faisaient tourner une lourde table. « Certains esprits, avait-elle ajouté, sont mal élevés et font un terribourris dont vous voudrez bien les excuser. » Ce n'était pas des excuses qu'elle présentait, le ton était impératif et signifiait à peu près : si ça ne vous plaît pas, tant pis pour vous.

— Moi aussi je laisse les coudées libres à la jeunesse. Ma nièce va s'ébrouer à son aise pendant que je rends visite à mon vieil abbé Prout, répondit Mlle Beaunon en sautant sur l'occasion. Cet homme, poursuivit-elle, ivre d'imagination, est un marieur acharné, j'espère qu'il me trouvera un beau parti pour Yolande. Je vous dirai d'ailleurs que la responsabilité de cette enfant me pèse. Elle travaille à Amiens, ma sœur habite la Suisse, bref c'est bancal.

— C'est bancal en effet, concéda Mme Tiran.

Les premières années Mlle Beaunon avait cru que Tiran s'écrivait avec un *y* puis, la concierge ayant été promue gardienne, des boîtes aux lettres avaient été disposées dans l'entrée, d'où une déception : Tiran s'écrivait avec un *i*.

— Ce bon prêtre habite dans le coin ? demanda Mme Tiran dont le regard était perçant.

— Non, rue de La Tour-d'Auvergne.

— Je ne la situe pas exactement mais je crois que c'est un quartier très convenable. Et c'est tant mieux car, précisa-t-elle à voix basse, le dimanche il faut se méfier.

Dimanche était doux et ombreux dans l'étroite rue Gaspard-Hauser où Mlle Beaunon habitait ; il s'anima un peu et s'ensoleilla quand elle déboucha rue de Vaugirard. Le Danube prend sa source aux frontières de la Suisse et glisse jusqu'à la mer Noire entre des bords changeants, de même la rue de Vaugirard, née entre des palais et des jardins, poursuit son cours à travers des quartiers qui sont autant de villes différen-

tes, le quinzième étant la plus neutre. Mlle Beaunon
appréciait cette tranquille absence de provocation.
Elle n'aurait pas aimé, en sortant de chez elle, se
trouver nez à nez avec Notre-Dame ou l'Arc de
Triomphe. Elle prit le métro dont elle goûtait également le gris charbonneux ; au moment où le ravale-
ment des immeubles était de mode elle avait craint
que ses chers tunnels ne fussent blanchis. Ils avaient
gardé leur inclassable couleur qui était celle des rats
qu'elle apercevait parfois quand il lui arrivait de
rentrer par la dernière rame. Depuis son enfance elle
avait beaucoup utilisé le métro et il lui était arrivé de
ne découvrir qu'avec un long retard des lieux dans les
entrailles desquels ses trajets l'avaient emportée et
elle avait constaté que son imagination l'avait trompée aussi bien sur la Porte Dorée que sur la Porte des
Lilas ou la rue de la Gaîté. Elle était rarement déçue
parce qu'elle osait rarement espérer. Elle revit le jour
à la sortie de la station Duroc et se laissa entraîner par
une pente insensible vers le musée Rodin.

Mlle Beaunon et le contexte

*Les passants ne se hâtaient pas et certains s'offriront
le plaisir de regarder autour d'eux, preuve que c'était en
effet dimanche. Les touristes se reconnaissaient facilement ; certains étaient promenés par des cars venus de
pays étrangers ; sur le boulevard les feuilles des arbres
étaient encore vertes et bientôt les frondaisons du jardin
du lycée Victor-Duruy et du musée Rodin apparurent
bien épaisses. On était encore en été. D'ici peu les
touristes disparaîtraient et les feuilles changeraient de
couleur avant de tomber. Mlle Beaunon avait admis*

une fois pour toutes le cycle des jours de la semaine et celui des saisons. De gros nuages blancs se rassemblaient autour des Invalides. Elle était également indifférente aux changements du temps. Le monde qui l'entourait n'avait jamais réussi à l'intriguer. Dans le métro la couleur des tunnels lui semblait comme celle des arbres ou comme l'alignement des immeubles décidés de toute éternité. Il arrivait bien qu'un immeuble fût abattu et qu'un autre, différent, le remplaçât. Mais la modification d'un aspect qui lui était familier ne la déconcertait pas car elle en prenait très vite l'habitude. Le coq paternel était déjà à sa place parmi les autres animaux et le caribou à la sienne sur son socle. La mort même ne l'invitait à aucune méditation particulière. Très petite encore elle l'avait admise comme la pluie ou le bruit des voitures dès l'instant où elle avait admis que sa mère était morte et le petit Jésus aussi. Les statues et les tableaux, seuls, lui inspiraient la certitude qu'ils auraient pu ne pas exister.

Elle pénétra dans le musée Rodin sans attacher son attention à la façade qu'elle connaissait et qu'elle avait assimilée comme celle de sa machine à écrire. Les admirateurs convaincus ou résignés de Rodin étaient nombreux. L'accès de certaines salles était presque aussi encombré que celui d'un wagon de métro aux mauvaises heures. Autour d'êtres de pierre et de bronze qui étaient nus et immobilisés, le lent mouvement triste d'autres êtres enveloppés par du tissu impatientait toujours Mlle Beaunon pendant les premières minutes puis elle oubliait qu'elle n'était pas seule et son regard parvenait sans effort à isoler les formes à qui elle vouait son culte. Il lui arrivait d'ignorer le nom de la statue dont les épaules ou les cuisses la retenaient chaque fois pendant un bon nombre de minutes ; ou encore elle confondait ces titres dépourvus pour elle de signification et prenait *le Printemps* pour *le Baiser*. A travers le respectueux chuchotement des visiteurs, elle venait voir des fesses, des entrejambes, des préludes au rut, sûre que c'était par prudence, avec une hypocrisie un peu moqueuse, qu'il avait donné à ses corps effrénés des appellations lénitives, *Mouvements de danse, la Fatigue, la Méditation*. Alors qu'elle traversait le jardin, des roses dans les parterres se dilataient éclatantes, et éblouissant Mlle Beaunon qui savait que jusqu'à Noël leur fard subsisterait tout juste rétréci ; elles étaient les gardiennes fragiles des chairs de pierre et de bronze, non pas prisonnières du musée mais campées dans ses murs comme une garnison dans une citadelle, femmes ouvertes et hommes émus qui déjouaient le regard attentif et vide de leurs agresseurs. Les bronzes luisaient un peu trop mais la pierre était attendrie par la lumière qui arrivait renvoyée par la végétation copieusement feuillue de l'ample jardin.

En entrant ici, se disait Mlle Beaunon, moi seule sais que j'ai abordé une maison de luxure, les autres font de l'esthétique. Les trois petites Anglaises, shorts en jean bien brefs, qui assiégeaient une femme exécutant dans les airs une amorce de grand écart pour montrer sa fente creusée avec ferveur, s'interrogeaient : c'était peut-être une acrobate cambodgienne. Elles lurent et traduisirent enfin le nom de la statue : *Iris messagère des dieux*. Toujours les malices de Rodin. Autour de ce miracle d'impudeur les longues jambes nues de ces toutes jeunes filles intéressaient Mlle Beaunon comme un complément qui aurait sans doute plu au sculpteur. Elles ne sentaient pas son regard mais derrière elle un autre regard pesait qu'elle devina avant de se décider à modifier sa position pour découvrir un homme qui se tenait à quelques pas. Il était lui aussi entoilé de jean, son pantalon était ample et Mlle Beaunon jugea son blouson démodé. Elle le classa parmi les intellectuels de cinquante ans qui depuis 68 ont décidé de paraître jeunes selon un code fixé une fois pour toutes. Son front était haut et large, son nez droit, ce visage ressemblait à un certain nombre de visages. Déjà les petites Anglaises montaient à l'assaut d'une autre statue.

— A leur âge, observa-t-il avec un sourire gentil, on ne peut pas être très sensible à l'essence des chefs-d'œuvre. Mais elles s'amusent...

Mlle Beaunon et la drague

Parmi les motifs qui poussaient Mlle Beaunon à fréquenter les musées la drague tenait sa place. Elle considérait que ces lieux favorisaient particulièrement les rencontres. On n'est pas pressé, on se côtoie, on troque facilement un voisin pour un autre, ce qui est impossible dans une salle de spectacle. Poser ensemble son regard sur le même objet incite à un échange d'impressions. Il arrive aussi de se perdre devant le Radeau de la Méduse *et de se retrouver devant l'*Odalisque *et l'on a l'illusion de se connaître.*

Elle avait eu affaire à plusieurs sortes de dragueurs. Le gai, entreprenant et sûr de lui que le plus souvent elle refusait. Le triste que n'effleure aucune arrière-pensée ; il veut simplement vous emmener dans un café pour

vous raconter sa vie et plus particulièrement ses malheurs ou encore discuter écologie, politique, télévision ;
il faut parfois plus d'une heure pour se débarrasser de
lui. L'idéal était représenté par un homme d'un âge
variable, éventuellement marié, qui était juste un peu
timide et ne savait pas trop comment s'y prendre pour
passer aux actes. Si Mlle Beaunon aimait se sentir
gênée, elle aimait aussi que son partenaire partageât
cette gêne.

Jamais elle n'avait vécu une liaison ni renouvelé une
rencontre même satisfaisante. Donnant libre cours à
son imagination elle trouvait toujours une nouvelle
fable pour démontrer qu'on ne pouvait pas aller chez
elle. L'homme ignorait son adresse ou, s'il insistait, en
obtenait une fausse. Son métier, sa situation de famille,
son origine étaient autant de sujets autour desquels
chaque fois elle improvisait avec le même plaisir.
L'homme était obligé de chercher lui-même le lieu de
leurs étreintes. Le dernier en date n'avait pas fourni un
effort, ils étaient dans le train, il l'avait menée aux
toilettes. Car il arrivait aussi qu'elle draguât en chemin
de fer. L'avant-dernier l'avait conduite chez lui ; elle
aimait pénétrer dans un intérieur inconnu qui n'était
pas prévu pour elle et de s'y trouver étrangère et nue.
Souvent elle avait été poussée dans une maison de
rendez-vous. Quels que fussent les détails de séjour et
de parcours, elle appréciait avant tout les petites
difficultés qui jalonnaient le passage d'une conversation prudemment nourrie d'idées générales à des considérations plus personnelles et à l'apparition du projet
précis autour duquel le flou se maintenait parfois assez
longtemps, jusqu'au moment où le règne du cru s'instaurait.

Qu'elle sortît bredouille d'un musée elle ne se sentait

pas bredouille parce qu'en y entrant elle ne s'était pas
donné pour seul objectif de lever un inconnu ; elle allait
voir de belles, sensuelles et somptueuses choses dans
leur coquille et leur rite, sans s'interdire une rencontre
fortuite mais sans l'exiger donc sans s'exposer à regret-
ter de ne pas l'avoir trouvée.

Ils bavardaient tous les deux sans changer de place.
Ils avaient épuisé les petites Anglaises, ils essayaient
d'empêcher leur propos de s'atténuer, de se diluer en
vaguelettes plates et espacées et commentaient avec
effort la qualité de la lumière qui baignait la salle. Ni
l'un ni l'autre n'auraient osé évoqué la posture
agressive de la statue. Celle-ci, selon Mlle Beaunon,
aurait dû s'appeler *Clitoris messager des dieux*. A la
pensée qu'elle pourrait prononcer cette phrase, rien
ne l'en empêchait après tout, elle imagina la mine de
ce compagnon grave et courtois et comment, pris de
court, il feindrait d'avoir mal entendu ; une envie de
rire la secoua brutalement, animant sa physionomie,
obligeant son corps à remuer. Elle remarqua qu'il
était sensible à ce changement, qu'il jetait discrètement sur elle un nouveau regard. En même temps et
aussi discrètement il s'intéressait aux petites Anglaises qui après avoir exécuté dans la salle un mouvement tournant se retrouvaient assez proches d'eux. Le
short de l'une, exigu à l'extrême, découvrait la
naissance des fesses et, vu de face, traduisait les lèvres
du sexe ; le short de l'autre bâillait et tendait entre les
cuisses une languette lâche qui laissait entre elle et le
corps un peu d'air ; la troisième dont le short était plus
strict était en partie cachée par les fesses définitives
d'une statue. Le regard de l'homme allait d'elles à sa

voisine, toute contente car elle comprenait qu'elle bénéficiait du moment d'éclat qui lui était venu et de l'association qu'il était en train de faire entre elle, Iris et trois nymphes qu'il n'oserait jamais attaquer. Elle n'était pas humiliée du tout qu'il la gardât comme un pis-aller ; elle le voulait, cet homme neutre aux petites lunettes cerclées d'acier et aux brodequins noirs trop bien cirés.

Ils reprirent leur marche en marquant des pauses plus ou moins longues devant presque chaque statue. Mlle Beaunon approuvait aimablement les remarques de son compagnon. De temps en temps ils apercevaient un morceau de peau nue, révélant la présence des petites Anglaises. Leur premier débat fut provoqué par un bronze *Celle qui fut la belle Heaulmière* devant lequel il l'avait arrêtée bien qu'elle détournât un regard que rebutait un agencement de seins flasques et d'ossements hargneux. Rodin s'était inspiré du poème de Villon où les épaules toutes bossues, les mamelles toutes retraites avaient remplacé les épaules menues, les petits tétons et les hanches charnues de la belle du temps passé. Il récitait du Villon puis, par association de thème, du Baudelaire où la beauté, étoile et soleil, finira par pourrir sous les baisers de la vermine. Il ne s'arrêtait pas, ce bavard, il hasardait un rapprochement avec Corneille et les *Stances à Marquise*. Mlle Beaunon qui ne compartimentait pas le temps aurait facilement placé Rodin, Baudelaire, Corneille et Villon dans le même siècle mais peu lui importait que le premier eût connu les trois autres ou les ait lus. Pour elle Rodin avait laissé libre cours à un acharnement sexuel dont ce musée témoignait mais parfois il s'était adonné à un exercice plus vain, plus manuel, sans doute mania-

que qui consistait à enlacer les franges et les tresses de
haillons (en chair ou en étoffe), à embrouiller les
mèches des barbes et des chevelures avec les carcasses
des tendons et des articulations, à prêter à la pierre ou
au bronze des nœuds, des convulsions, des séracs. Il
s'était permis de satisfaire ce plaisir mineur en marge
de sa folie des corps désirables, elle le comprenait et
se lassait d'entendre le discours de son compagnon.

— Vous êtes par trop scolaire, non ? demanda-
t-elle d'un ton distingué.

Depuis que Paul avait produit une dramatique,
tournée par Juaurez, sur « Les derniers jours de
Lacenaire », elle disait facilement Lacenaire pour
Baudelaire. Quant à Corneille elle en avait tout
oublié sauf *le Cid* qu'elle n'avait jamais lu, en outre
elle confondait Villon avec Jehan Rictus dont elle
avait rencontré une arrière-petite-nièce à Genève.
Elle préférait donc rompre court à engager un débat.
Elle constata aussitôt que sa question, qui était un
verdict, avait porté et ébloui. Elle en fut heureuse
parce qu'elle tenait cette réplique de Paul qui l'avait
assenée à un commentateur d'une érudition perpé-
tuelle.

— Vous avez sans doute raison. C'est parfois mon
défaut. Sans doute est-il dû à ma formation.

Le dernier mot appelait une question qu'elle se
garda de poser. Mais comme ils allaient quitter le
premier étage pour gagner l'escalier elle sursauta face
à un buste dont le visage lançait un sourire très
particulier qui, tenant plus du tic que du sourire,
révélait une manière d'être et d'envisager le reste du
monde.

— Que c'est ressemblant ! s'exclama-t-elle avec un
jeune enthousiasme.

Il se pencha pour déchiffrer :

— Pierre de Wissant... connais pas. Mais vous, vous n'avez jamais pu le connaître ?

— Ah, ça se voit que c'est ressemblant ! Ça crève les yeux.

Il acquiesça, dominé. Dans l'escalier elle se demanda si elle n'avait pas commis une faute tactique en l'emportant par deux fois sur lui, les hommes aimant conserver l'illusion de leur supériorité. Elle craignit qu'il ne s'évadât à la sortie du temple et, pour consolider les relations entre eux, elle lui demanda de bien vouloir l'attendre une seconde pendant qu'elle allait aux toilettes. Elle s'y rendit et fit consciencieusement en ces lieux ce qu'elle devait faire. Mais elle en sortit avec angoisse, se demandant si sa ruse ne s'était pas retournée contre elle et s'il n'avait pas profité de cette liberté provisoire pour prendre le large. En l'apercevant dans le hall elle ralentit sa marche et retrouva sa respiration. C'était gagné. Du moment qu'il l'avait attendue il ne pouvait plus la quitter quand ils atteindraient la rue. Ils traversèrent le jardin où buvaient les roses ; des gouttes de pluie tombaient larges et écartées, s'écrasant à l'arrivée comme de mols éphémères qui se dissolvent au premier choc.

— Il pleut, dit-il.

Précipitamment il s'efforça de rire :

— Voici que je plagie Croquebol.

Il insista :

— Vous savez, dans Courteline, quand Croquebol et La Guillaumette marchent sous une pluie diluvienne et que cette phrase sublime intervient : il pleut, fit remarquer Croquebol.

Mlle Beaunon jugeait ce discours « débile ». Elle

connaissait vaguement le nom de Courteline qu'elle mêlait à Courtelaine, cet ennemi dont elle craignait qu'il ne succédât à Paul Bâche. Mais elle avait décidé de donner désormais l'avantage à son interlocuteur. Elle se récria d'admiration.

— Vous aimez Courteline ?

Elle l'adorait. Enthousiaste, il lui annonça qu'il y avait à deux pas le café du Musée qui les abriterait des intempéries et leur permettrait de converser à loisir.

Les gouttes de pluie maigrirent en se multipliant. Le café du Musée apparut ruisselant et fermé. L'homme jugea stupide cette fermeture. Selon lui tout permettait de penser statistiquement que le plus grand nombre de visiteurs du musée surgissait le dimanche, jour où ce café avait la démence de fermer. Il proposa sa voiture qui n'était guère éloignée. ils s'y réfugièrent.

— Où donc pourrions-nous aller pour être tranquilles ? demanda-t-il avec embarras, sans paraître capable de fournir une réponse.

Assis l'un à côté de l'autre, ils n'étaient que trop tranquilles. Leur confort était étayé par le spectacle des passants qui luttaient contre l'averse et contre le vent. Déformés par le ruissellement de la pluie qui criblait les glaces, ces êtres, en se hâtant, se désarticulaient.

— Je ne peux pas vous inviter chez moi, déclara posément Mlle Beaunon, ma fille reçoit des amis.

— Moi j'habite Gravelines, dans le Nord. J'y repars ce soir.

— Vous êtes descendu à l'hôtel ?

— Non pas précisément... chez un de mes collègues. Nous pourrions aller chez lui mais ce ne serait vraiment pas gai.

— Il aurait été plus pratique en effet que vous habitiez l'hôtel.

Elle lui avait simplifié la tâche mais elle entendait bien désormais le laisser jouer. A la dérobée elle surveillait la physionomie de cet inconnu qui devenait familier. Il hésitait à formuler une proposition nette. Elle était décidée à l'accueillir mais ne voulait pas la faciliter davantage puisque le malaise où ils s'empêtraient nourrissait son bonheur. Il faillit parler, se retint, reprit plusieurs fois sa respiration, enfin se lança :

— Jusqu'à l'an dernier je travaillais à Paris, mais mon appartement n'était guère commode et quand mon frère qui est professeur à Toulouse venait passer quelques jours je lui retenais une chambre dans un hôtel de la rue Montpensier. J'y suis connu. Nous pourrions peut-être essayer.

Elle acquiesça d'un mouvement du visage mais, troublé, il ne la regardait pas de sorte qu'il ne sut comment interpréter son silence et lui jeta un coup d'œil inquiet. Alors elle se lança :

— C'est une idée. allons-y.

Paris, strié par la pluie, commença de défiler pendant que M^{ile} Beaunon procédait à un bilan. Il était certain que cet homme n'était pas du tout habitué à lever une nana. Dépassé par la circonstance, il s'employait à la conduire dans un hôtel ennuyeux et convenable où leur arrivée provoquerait une surprise guindée qu'elle savoura à l'avance, n'éprouvant qu'une crainte, celle de se tromper et d'être tombée sur un roué qui jouait assez bien la comédie pour présenter comme une pension de famille un hôtel de passe. Elle n'était pas tout à fait ennemie de cette hypothèse qui lui permettrait, en découvrant qu'elle avait été jouée, de manifester un mélange de mécontentement et de confusion. De toute façon elle était assez contente d'elle et de la chance qui la servait. Elle avait trop passé de dimanches dans des musées d'où elle était sortie seule ou escortée d'un inoffensif compagnon. Cette fois elle était certaine d'avoir réussi une belle pêche, quels que fussent l'homme qui l'enlevait et le lieu où il la conduisait.

Son dernier succès dans un musée datait du mois d'avril ; au Louvre, elle avait remarqué un Japonais devant *le Radeau de la Méduse,* l'avait retrouvé devant *le Massacre de Chio,* lui avait parlé devant *le Bain turc ;* il l'avait entraînée à l'hôtel Méridien où il logeait, leur avait fait faire un détour par le bar pour les convenances puis, l'ayant conduite dans sa chambre, l'avait cérémonieusement poussée dans la salle de bains où en échangeant des révérences ils s'étaient mutuellement lavés avant de faire l'amour.

Elle n'écoutait pas, elle écouta et, alors qu'ils franchissaient les guichets du Louvre, elle apprit que la centrale atomique de Gravelines déversait dans la mer des eaux à haute température et qu'il était chargé, lui, par le C.N.R.S., d'étudier les modifications de la faune et de la flore marines. Elle le laissait parler, ne lui montrant qu'un intérêt paresseux, presque distant, pour l'obliger à assumer seul la nécessaire conversation qui occupe le vide pendant lequel on approche du théâtre des opérations. Il s'épuisait en menus propos qu'il enchaînait maladroitement quand son assurance lui revint : il avait trouvé une place spacieuse pour sa voiture, à deux pas de l'hôtel, et la pluie avait cessé ! Mlle Beaunon qui n'appréciait pas cet air faraud se rasséréna en entrant dans l'hôtel parce qu'elle remarqua que son compagnon perdait pied.

Le hall d'entrée était petit et triste. Sous les palmes lasses d'une plante verte deux fauteuils de plastique béaient. Posé sur une table de verre un cendrier conservait comme un écrin deux précieux mégots. En un mauvais anglais le réceptionniste qui était en même temps le concierge s'expliquait avec une touriste probablement allemande qui suivait son discours sur un plan de Paris. Au bout d'un long moment qui parut court à Mlle Beaunon, enivrée de gêne, il se décida à remarquer la présence des deux solliciteurs.

— Monsieur Gréard, lança-t-il avec un léger rayon de sympathie, nous ne vous avions pas vu depuis longtemps, vous venez retenir une chambre pour votre frère ?

— Pas exactement, répondit M. Gréard d'une voix de confessionnal, mais je cherche, nous cherchons... une chambre libre.

— Pour quelle date ?

— Maintenant ce ne serait pas possible ?

— Nous avons reçu deux cars. L'hôtel est plein. Ç'aurait été pour combien de temps ?

— Pour... quelques heures.

La touriste allemande partit pendant que Mlle Beaunon regrettait que son ignorance de la langue française eût privé cette étrangère du dialogue. Le concierge-réceptionniste ressemblait un peu à Lucien.

— Nous ne sommes pas tellement habitués à ce genre de location mais si vous voulez je peux vous proposer une chambre qui sera occupée à sept heures, dix-neuf heures, précisait-il, je dois vous prévenir que c'est la moins confortable de l'hôtel, la seule qui n'ait pas encore été rénovée.

— Ça n'a aucune importance, déclara Mlle Beaunon avec une autorité dont elle savait qu'elle achèverait de décontenancer M. Gréard, puisque M. Gréard il y avait.

— Je vais régler la note tout de suite si vous voulez.

— Comme vous préférez.

Une voix feutrée et roulante passa derrière elle qui la glaça. Elle se sentit d'abord transir puis brûler. D'un coup d'œil elle reconnut le profil mou de Courtelaine. Une seconde lui avait suffi pour imaginer la catastrophe. Que Courtelaine la reconnaisse en compagnie d'un homme réglant sa chambre et le mythe de sa virginité et de sa pruderie s'écroulerait. Elle fut aussitôt rassurée par la disparition de Courtelaine qui, escortant un prêtre, était déjà aspiré par la rue. Elle avait eu le temps aussi de justifier sa présence dans un hôtel avec un homme : c'était un cousin de passage à Paris et elle l'aidait à trouver un gîte. De nouveau elle était sûre d'elle mais l'émotion qui l'avait frappée était lente à se dissiper. Elle n'avait plus peur mais elle se sentait rouge et essoufflée. A un regard de M. Gréard elle comprit qu'il avait remarqué cette défaillance et de même qu'elle venait de le déconcerter par son autorité elle le déconcertait maintenant par les signes de sa confusion. Du coup elle retrouva sa bonne humeur. En quelques pas ils parvinrent à une chambre assez petite occupée par un grand lit et une coiffeuse. Un rideau coulissant isolait un recoin qui abritait le lavabo et le bidet. La pièce étant au rez-de-chaussée les mouvements de la rue parvenaient jusqu'à eux et malgré l'épaisseur du voilage ils pouvaient distinguer les silhouettes des passants et les couleurs des voitures.

— C'est un peu sommaire mais je n'avais vraiment rien d'autre à vous offrir. Il n'y a pas de serviettes, je vous envoie la femme de chambre.

Seuls, ils firent quelques pas sans se regarder. Ils s'arrêtèrent devant une petite gravure qui représentait la tour de Pise.

— Vous êtes allée à Pise ?

— En Italie oui mais à Pise jamais. Et vous ?

— J'ai beaucoup voyagé en Italie mais c'est drôle moi non plus je ne suis jamais passé par Pise.

Il répéta que c'était drôle, cherchant à exploiter le point commun qu'ils s'étaient trouvé. Mais ne voyant pas quel parti il pouvait encore en tirer il se décida à se présenter. Olivier Gréard.

— Ghislaine de Beaumont.

Il était un peu tard pour qu'ils se déclarassent enchantés de faire connaissance. Leur attente prenait une densité que Mlle Beaunon n'avait pas osé espérer.

En coup de vent la femme de chambre surgit, porteuse de deux serviettes qu'elle alla suspendre derrière le rideau. C'était une robuste mulâtresse dont l'activité anima brièvement la pièce. Elle enleva le couvre-lit qu'elle rangea dans un placard, ouvrit les draps et, en partant, leur souhaita une bonne journée.

Avec une curiosité délicieuse Mlle Beaunon se demandait comment il allait s'y prendre pour passer à l'action. Quand elle avait affaire à un partenaire intimidé, ce moment était toujours intense. Il ne se prolongea guère car Olivier Gréard fit tout à coup preuve de décision. Il ôta son blouson et ses chaussures, s'assit au bord du lit et attira Mlle Beaunon sur ses genoux. Le buste dénudé elle se laissa caresser avec un double contentement ; les caresses étaient agréables, de plus il lui plaisait de montrer des seins qu'elle savait beaux. Pendant qu'il achevait de la dévêtir, sans qu'elle lui apportât aucune aide, elle se régalait de cette certitude : habillée je ne suis pas belle, nue je le suis. D'ailleurs, sans vêtement, Olivier Gréard, lui aussi, était beaucoup plus acceptable. Elle n'eut à lui reprocher que quelques grains de beauté couleur corail. Ayant constaté qu'il n'était plus du tout intimidé, qu'il s'enflammait, elle décida de changer de rôle et de se faire impudique. Elle n'avait accepté qu'il l'embrassât sur la bouche qu'avec réserve ; l'enlacement des langues lui semblait plus intime que tout autre. Tout de go elle lança cette bouche vers des caresses que l'on aurait pu considérer audacieuses puis elle se renversa les cuisses rejetées en arrière et s'offrit avec une impatience qui n'était pas entièrement feinte. De la rue s'échappaient des lambeaux de voix féminines et masculines qui se distinguaient carrément. Elle imaginait les pierres du trottoir roses et bleues, parées des couleurs précieuses que la pluie leur prêtait à court terme ; les talons des femmes sonnaient plus sec que ceux des hommes. Avec évidence aussi elle savait qu'elle ne s'identifiait pas à cet associé provisoire et que l'acte qui les réunissait soulignait les traits contradictoires de leurs natures. Il se montra brutal, elle l'y avait encouragé mais il se freinait souvent pour entreprendre des exercices manuels de sorte qu'elle fut obligée de lui saisir la main et de l'écarter, bien décidée à considérer ses prévenances comme l'effet d'un scrupule altruiste ou comme le signe d'une vanité inquiète et froide. On entend prouver qu'on est expert dans l'art de manier la femme. Par malice elle cachait parfois sa réussite à un amant trop adroit, toujours par malice il lui arrivait de feindre l'extase dans les bras d'un nullard qu'elle osait même féliciter ensuite de ses talents.

Malgré ses réticences elle se sentit entraînée vers la région où elle n'avait pas voulu parvenir, n'appréciant bien l'orgasme que seule. A deux elle entendait garder l'esprit lucide. Elle se résigna pourtant à une immersion qu'elle réprouvait. A travers des plaintes qui la transformaient en tempête, bien qu'elle eût oublié qui les lui arrachait, elle retrouva dans un court accès de clarté assez d'esprit pour s'amuser en entendant M. Gréard haleter :

— Ghislaine ! Ghislaine !

Un peu plus tard elle se souleva, très vaillante, trop lui sembla-t-il et par politesse elle s'efforça d'alanguir ses gestes.

— Vous m'excusez un instant ? demanda-t-elle avant de disparaître derrière le rideau.

Enfourcher un bidet où l'eau gicle en résonnant était un acte réaliste qu'elle accomplissait pour proclamer à son amant que ce qui s'était passé entre eux était anatomique. Elle se lava tout de même pour de bon en se rappelant qu'elle avait omis de poser le diaphragme que chaque dimanche elle trimbalait dans son sac. Elle revint en finissant de s'essuyer avec une des serviettes qu'elle abandonna sur le lit, comme une pièce à conviction.

— Ça ne vous choque pas que je fume un cigarillo ?

Débordant de serviabilité il courut quérir un cendrier, il lui alluma le cigarillo puis accepta celui qu'elle lui offrait, en précisant que pour une fois il pouvait bien, c'était moins nocif qu'une cigarette parce que le papier voilà le pire etc. Ils fumèrent.

Ils s'étaient connus habillés devant des nus éternels

et se trouvaient nus momentanément dans une pièce absente que la pénombre arrondissait.

— Il pleut, chuchota-t-il avec précaution comme s'il craignait de troubler l'étale bruissement liquide de la rue.

Elle ne riait jamais complètement, elle rit à moitié avant d'observer :

— Croquebol ? Courteline ?

Il voulut bien rire aussi mais, après avoir renvoyé la fumée du cigarillo par le nez, il retrouva un ton sévère pour demander :

— Savez-vous qu'autrefois j'ai été marxiste ?

Comme s'il lui annonçait qu'enfant il avait été asthmatique elle demanda avec un semblant d'intérêt :

— Et vous êtes guéri ?

Il hésita et elle crut l'aider en ajoutant, parce que, malgré qu'elle en eût, elle avait toujours l'asthme en tête :

— On ne s'en guérit jamais tout à fait, je crois, il y a des séquelles.

— C'est un peu vrai. Je ne suis plus marxiste, je suis même résolument opposé à une doctrine qui, où qu'elle soit appliquée, et par qui, aboutit toujours et partout à des états policiers mais...

Les théories qu'il développait l'ennuyèrent sans la contrarier car, au prix d'un vague acquiescement ou d'un regard interrogateur, elle était libre de songer à sa guise. Il était allongé du côté de la table de nuit de sorte que pour secouer son petit cigare dans le cendrier elle était obligée d'allonger un bras par-dessus le corps bavard. Pendant quelques secondes elle immobilisait sa pose, frôlant la poitrine et l'une des épaules de l'homme et lui touchant la hanche de son genou. Elle les statufiait tous les deux, ils formaient un groupe uni comme les aimait Rodin, le lit tenant lieu de piédestal. Les trois petites Anglaises tournaient autour d'eux, d'un rose doré et d'un bleu qui égayaient la pièce.

Sans doute en avaient-ils fini avec la situation de la Pologne car elle découvrit avec retard qu'il venait de lui demander si elle travaillait. Quand elle affabulait, aucune question ne la prenait au dépourvu.

— Oui, dans la peinture sur soie. Maintenant je ne peins plus, je m'occupe de l'atelier.

— Il est à Paris ?

— Dans le Marais.

Elle hésitait à allumer un nouveau cigare par crainte de réveiller le vieil asthme qu'elle avait inventé. Elle s'y décida, il n'en accepta pas un autre et profita de la liberté de ses mains pour hasarder des caresses. Elles étaient assez réussies mais Mlle Beaunon avait décidé de le quitter en le laissant sur sa faim et tout en se prêtant à des entreprises qui ne lui déplaisaient pas, elle se gardait de les encourager.

— A Gravelaine est-ce que... ?

— Gravelines.

— Oui, est-ce que vous habitez près de la centrale ?

— A cinq kilomètres. Je suis divorcé. J'ai un appartement dans un ensemble. Pourquoi ne viendriez-vous pas un jour là-bas ? C'est beau et insolite.

Il tentait de lui décrire le déferlement de la mer contre les jetées, devant le bloc rose de la centrale, plus impressionnant qu'un château fort. A l'équinoxe les tempêtes étaient superbes. Plusieurs bateaux étaient à sa disposition. Il pourrait aussi lui faire visiter la centrale. Le venin tout-puissant baignait au fond de cuves énormes gardées par des diables rouges. Tout ce qu'elle entendait lui apprenait surtout que son compagnon souhaitait poursuivre leurs relations. Plutôt que de repousser ces invites elle préféra les ignorer. Mais avec l'enthousiasme qu'il avait déployé pour peindre les exaspérations saisonnières de la mer il s'écria :

— Vous avez un corps magnifique ! Et il est totalement bronzé ! Pratiqueriez-vous le naturisme ?

— Certainement pas, répondit-elle, heureuse de bavarder parce qu'elle était heureuse d'avoir reçu ce compliment, j'imagine ce que doit être le rassemblement sur une plage de tous ces gens qui ne se connaissent pas et qui s'entassent nus les uns sur les autres. Non, c'est en Italie que j'ai bruni, chez une amie dont le verger sent bon, on y est à l'abri du vent et des regards, j'y ai passé une quinzaine de jours en août.

Jamais elle n'aurait utilisé ses inventions pour se vanter d'une supériorité. Si elle s'était intitulée Ghislaine de Beaumont ce n'était pas pour se prêter une origine noble mais parce que petite fille, dans un petit roman, elle avait aimé une héroïne qui portait ce nom. Elle se hâta donc de préciser que la maison de son amie était très modeste et le verger très étroit. Puis elle se tut parce que cet étroit verger l'emprisonnait et que des odeurs de fraises enflammées de soleil assiégeaient sa nudité. Elle improvisa un visage à moitié jeune à cette amie, juste un peu usé au cou, aux commissures des lèvres, dans le prolongement des yeux ; mais le corps qu'elle lui accorda était resté beau avec des épaules larges et rondes. Elle caressa celles de M. Gréard en respirant le parfum des fraises que dominait par moments celui d'un buisson de cassis écrasé par le soleil. Elle-même oubliait qu'elle avait patiemment acquis son hâle sur la plage du Levant en s'exposant avec méthode aux rayons du soleil et elle offrait de bon cœur à son amant inconnu les attraits d'un peintre sur soie qui portait un beau nom, qui était dodu et venait tout juste de quitter un jardin d'été. La ferme décision qu'elle avait prise de ne pas lui accorder une seconde occasion s'était dissoute toute seule et elle le laissait aller. Il agissait cette fois avec une certaine douceur un peu protectrice qui était agréablement irritante. Il pouvait convenir à Mlle Beaunon qu'un inconnu la désirât, elle refusait sa tendresse.

Elle prolongea ses ablutions et son séjour derrière le rideau, rectifiant son maquillage dans le miroir qui surmontait le lavabo, rajustant sa chevelure, un petit cigare entre les dents, puis elle fit sa rentrée avec autorité en allumant l'électricité et en annonçant qu'il devait être tard. Elle ne lui laissa pas le temps de protester, lut sur sa montre qu'il était six heures et demie et commença de s'habiller. Elle ne se hâtait pas, lui tournant le dos pour lui permettre d'admirer des fesses dont elle était satisfaite. Il était toujours allongé sur le lit et la regardait. A la dérobée, elle le surveillait et s'amusait de ce regard assez glorieux ; il était puérilement fier de sa conquête. Elle aimait que les hommes lui montrassent leurs faiblesses. Il se décida à ramasser ses vêtements et bientôt ils se retrouvèrent dans le hall où elle essaya de se faire peur en imaginant la présence de Courtelaine. Le hall était désert et Gréard en parut contrarié.

— Vous ne pensez pas que j'aurais dû donner un pourboire à la femme de chambre ? Elle était très aimable.

Ce gentil scrupule, Paul Bâche aurait pu l'avoir. La comparaison était sacrilège mais Mlle Beaunon ne put s'empêcher de s'attendrir en regardant ce compagnon qui marchait sur le trottoir auprès d'elle, sagement. Il ne pleuvait plus et de vastes surfaces bleues envahissaient le ciel.

— C'est un drôle de temps, dit-il, on se croirait en mars.

Mlle Beaunon savait depuis l'enfance qu'à l'intérieur des saisons des variations de température et de lumière alternaient presque chaque année et elle avait horreur qu'on s'en étonnât, qu'en mai on dénonçât un temps de Toussaint, qu'en septembre on se plaignît de se croire à Noël. Elle associait son agacement à celui qu'elle avait entendu énoncer par Paul à l'encontre des gens pour qui un vin sent la pierre à fusil ou la framboise. « Qu'ils bouffent de la framboise et de la pierre à fusil au lieu de boire du vin ! »

Il s'accrochait. Pourquoi n'iraient-ils pas prendre un verre sur la place où plusieurs cafés étaient ouverts contrairement à celui du musée Rodin ? L'allusion la fit sourire : il voulait établir entre eux des souvenirs communs. Elle refusa, refusa aussi qu'il la raccompagnât en voiture mais finit par céder pour le plaisir de lui raconter une petite histoire sur les amis chez qui elle allait passer la soirée. Elle accepta qu'il la déposât rue de Vaugirard devant un traiteur où elle avait coutume de faire des emplettes avant d'aller chez ses fameux amis. Dans la voiture elle évitait de regarder son voisin et tournait la tête vers les trottoirs où malgré le soleil revenu les êtres humains avaient l'air poisseux et de sentir le chien mouillé alors que les bâtiments, les arbres, la chaussée resplendissaient neufs dans un air que la pluie et la rafale avaient

purifié et que les rayons de soleil traversaient avec le
tranchant d'un rasoir frais. Quand ils retrouvèrent la
Seine l'eau du fleuve elle-même donnait à croire
qu'elle avait été lavée.

— Quand nous reverrons-nous ? demanda-t-il
brusquement.

Ce n'était pas la première fois qu'elle était contra-
riée par l'insistance d'un amant de passage. Elle
improvisa autour d'un thème qu'elle connaissait par
cœur, elle était très prise par son travail, sa famille,
prochainement à une date qu'elle ne connaissait pas
encore un voyage devait l'éloigner de Paris. Elle
parvint à lui refuser doucement son adresse et à le
consoler en acceptant la sienne qu'elle glissa dans son
sac. Elle remarquait qu'elle peinait plus que d'habitude et elle en éprouva de l'horreur pour elle-même.
Ce n'était pas parce que Paul était théoriquement
mort qu'elle allait se comporter comme s'il l'était et se
permettre une liaison, bien qu'elle eût envie de revoir
cet homme, de refaire l'amour avec lui, d'entendre
encore sa voix. Jusqu'ici jamais elle n'avait commis
l'imprudence de laisser un partenaire approcher aussi
près de son domicile : il n'y avait pas cinq minutes de
marche entre le traiteur et son immeuble. Elle
mobilisa son énergie. Qu'elle se permît une défaillance et elle enterrait Paul pour de bon. Cette crainte
lui donna de l'impatience. Dès que la voiture se fut
arrêtée devant Debussy épicier-traiteur, elle brusqua
les adieux, promit de téléphoner, sauta à terre et ne se
retourna que sur le seuil du magasin pour adresser un
sourire qui fut assez définitif pour que la voiture
démarrât. Elle s'éloignait avec une lenteur qui l'ennuyait d'un regret presque déchirant. Mlle Beaunon
étouffa le scrupule qui comme tout scrupule ne

demandait qu'à planer, elle se persuada qu'on perd toujours son temps à dıre adieu trop longtemps et surtout si c'est adieu pour toujours.

La célébrité de Debussy ne dépassait pas un kilomètre à la ronde mais elle était entière, incontestée dans ce domaine restreint. Le glacier Bertillon est connu dans les cinq parties du monde mais dans son propre fief des rivaux inconnus osent se montrer avec une audace à laquelle n'aurait prétendu aucun des voisins de Debussy. La tradition régnait sur ce magasin dont la partie visible était longue et étroite, formée d'une succession d'étals et de comptoirs. Les vendeuses depuis toujours étaient vêtues de bleu, la chevelure ornée d'une coiffe tuyautée alors que les hommes étaient enfermés dans de grands tabliers noirs d'où émergeait un bleu rayé de blanc analogue à la tenue des bouchers. M. Debussy (petit-fils du fondateur) portait une veste noire aggravée par un nœud papillon noir qui se déployait sur l'éclatante blancheur de la chemise ; il était rose et joufflu, comparable à l'un des jambonneaux qui comptaient parmi ses spécialités. Mlle Beaunon n'avait jamais faim mais elle se plaisait toujours en ce lieu consacré aux victuailles. Elle se demandait s'il y avait d'autres êtres qu'elle pour savourer par le regard des comestibles non en salivant mais en appréciant des apparences. Celle d'une terrine dont la roseur était tachée d'or et de soufre la retenait et l'entraînait à des comparaisons avec une autre terrine toute proche qui évoquait une tranche de porphyre placée en parallèle avec un pâté granitique. L'éclat aigu et luisant d'un jambon offert au couperet avait seul le pouvoir, à ses yeux, d'entrer en compétition avec un jambon de Goya dont elle conservait la reproduction dans ses

cartons. Entre des oranges entassées dans un panier
et l'orangé du saumon majestueusement allongé, un
indéchiffrable concours de couleurs s'établissait, sou-
ligné par le bleu des figues et des fromages de chèvre,
petits, ronds et crépus. L'architecture était aussi
variée que la répartition des couleurs et des matières,
les œufs en gelée dont l'auréole cuivrée enveloppait la
blancheur bâillonnée d'herbes étaient disposés en
étoile alors que les choux à la crème, uniformément
vêtus du même vernis hâlé, surgissaient en pyramide.
C'était le second musée que Mlle Beaunon aurait eu la
chance d'apprécier en un après-midi.

Elle savait donner des limites à l'enthousiasme et
choisit froidement une double portion de pissenlits
aux croûtons et aux lardons, deux tranches d'un
morceau d'albâtre qui était du porc froid, deux
tranches d'un fromage de tête dont les compartiments
retenaient des sections d'agate contenues par des
lèvres fardées. La tradition voulait que chez Debussy
seuls les hommes eussent le droit de guider un client
dans l'achat d'une bouteille de vin et de trancher. La
mignonne serveuse rousse avait donc cédé la place à
un petit Hercule jeune mais déjà rompu au respect de
son métier qui lança avec certitude la lame de son
couteau dans les deux matières qui résistèrent chacune à leur manière, l'une par l'effet d'une épaisseur
souple, l'autre par saccades. Pour compléter elle
choisit un quartier de tarte au citron en sachant que
Yolande qui suivait un régime jurerait qu'elle n'y
toucherait pas et la dévorerait. Un musée vous délivre
d'un autre. Et Mlle Beaunon avait oublié jusqu'au
nom de M. Gréard quand en sortant elle reconnut la
voiture immobile en double file.

Elle éprouva moins de colère contre l'entêté que

contre elle-même car elle se sentait sur le bord de
fléchir et d'accepter un autre rendez-vous. Pour
échapper au péril elle se fit gentille, c'était la meilleure tactique pour brusquer les choses ; elle promit
d'écrire ou de téléphoner « à condition que vous
soyez raisonnable et que vous partiez à l'instant
même ». Il était descendu, il se tenait dans l'entrebâillement de la portière. D'un regard tendre elle le
convainquit d'obéir. La voiture s'éloigna et vite ; sans
doute souhaitait-il plaire par sa docilité. Les sacs
Debussy l'encombraient mais elle réussit à trouver la
carte que lui avait laissée M. Gréard. Elle la déchira
et les fragments, saisis par le flux nacré du caniveau,
voguèrent comme une escadre de voiliers. Par précaution elle s'imposa un petit détour avant de rallier son
immeuble. Devant l'ascenseur elle rencontra la seule
de ses voisines qu'elle aimât bien, Mme Broussais,
vigoureuse vieille dame qui promenait le visage frais
et naïf d'un enfant. A la vue des prestigieuses initiales
de Debussy enlacées sur les sacs elle sourit avec une
gentille complicité :

— On gâte sa nièce !

— C'est un des derniers plaisirs qu'on peut s'offrir
à mon âge, celui de faire plaisir aux autres.

Il était vrai que Mlle Beaunon avait choisi chez
Debussy en tenant compte non de ses goûts mais de
ceux qu'elle prêtait à Yolande. Elle retrouva celle-ci
en robe de chambre, accroupie sur un coussin face au
poste de télévision. La robe de chambre verte bâillait
sur des cuisses bien tendres. Le lit avait été défait,
utilisé et Yolande qui tenait à le proclamer avait pris
soin de ranger irrégulièrement les oreillers, de modeler une houle dans les draps et le dessus-de-lit ; cette
fille routinière avait dû refaire le lit parfaitement puis

le déranger avec art pour dénoncer à sa vieille vierge
de tante les jeux qui l'avaient occupée pendant
l'après-midi. Ma pauvre, tout ce que je te souhaite
c'est d'avoir fait bander ton jules aussi bien que moi le
mien.

Devant les coussins, Yolande avait disposé sur le
parquet des napperons de raphia et les couverts.
C'était leur habitude, le dimanche soir, de dîner
blotties devant l'écran. Bien que toutes deux préten-
dissent être imperméables à cette émission elles ne
manquaient jamais « Les animaux du monde ».

— Tu arrives à temps, dit Yolande, elle va commencer.

Précipitamment Mlle Beaunon déballa les victuailles
que Yolande répartit dans les assiettes sans enthousiasme en lançant à propos de la tarte les protestations
prévues. Elle la gâtait en effet cette nièce qui n'en
témoignait pas de gratitude et, la gâtant, sacrifiant
même son goût à ce qu'elle croyait le goût de
Yolande, elle ne se jugeait ni bonne ni généreuse
parce qu'elle savait qu'au fond elle s'en fichait et
qu'elle donnait la preuve non d'un grand cœur mais
d'une grande indifférence. Si elle laissait Yolande
décider du choix des émissions contre le premier
mouvement qui lui était venu c'est que ce mouvement
était si peu accentué qu'il était aisé de l'abandonner.
Elle était possédée par des penchants, eux, auxquels
jamais elle n'aurait renoncé mais personne n'y aurait
prétendu puisqu'ils étaient ignorés.

— J'espère, dit Mlle Beaunon, qu'ils ne vont pas
nous refiler des oiseaux encore une fois. Les oiseaux
ne sont pas des animaux.

Mlle Beaunon et les oiseaux

On aurait tort d'attribuer l'animosité qu'ils lui inspi-raient à l'exaspération où son père l'aurait mise en sculptant, dessinant et élevant des coqs à gogo. Les coqs du père, symboles cocardiers, ne présentaient aucun rapport avec les volatiles vivants ou morts qu'elle réprouvait. Elle classait les premiers parmi les êtres métaphoriques, avec l'aigle de Meaux, les aigles qu'on accorde au féminin, le cygne de Cambrai, la colombe de la paix, les oies du Capitole, l'hirondelle du faubourg et celle qui ne fait pas le printemps, la poule aux œufs d'or et l'œuf de Christophe Colomb. C'étaient les autres, ceux avec qui elle avait eu à faire pour de bon, qui la dégoûtaient et l'inquiétaient.

Petite fille elle avait tenu dans ses mains pigeons malades, moineaux blessés, poules dont il fallait lier les pattes avant de les tuer et elle gardait en mémoire le contact de plumages chauds et gras. Si elle se prétendait végétarienne, tout en mangeant assez souvent de la viande, c'est qu'elle mettait en réserve cet argument pour refuser de manger un oiseau. Encore se permettait-elle des entorses, ayant découvert depuis longtemps les délices décisives du gibier et que le poulet froid est d'une chair si compacte et si nette qu'il faut savoir qu'elle fut empennée. De même elle goûtait le chant des merles et n'avait aucun mal à s'imaginer qu'il provenait de musiciens vêtus de satin noir. Les plumes la révulsaient par leur moiteur, mais à la télévision ce qui l'irritait dans la présence des oiseaux c'était leurs yeux ronds. Elle craignait d'avoir des yeux d'oiseau et se jugeait elle-même en regardant un cormoran qui fixait le monde. Sur l'image, sauf à l'occasion de quelques gros

plans, elle ne ressentait pas la réalité poisseuse, duve-
teuse, poussiéreuse et vermineuse de l'oiseau mais la
caméra s'intéressait à ces yeux où était encerclé un
néant désespéré.

Elle n'avait pas compris le nom de l'oiseau auquel
était consacré le film, elle en avait dédaigneusement
suivi la résonance qui lui avait inspiré un mot de son
cru, le *zobar*. Le zobar était un animal plutôt petit
dont le blanc était traversé de traînées grises, son bec
un peu recourbé à l'extrémité brillait comme un
cuivre bien encaustiqué de même que les pattes qui se
terminaient par de longs doigts griffus et crispés dont
le commentateur fit remarquer qu'ils n'étaient pas
palmés bien que l'oiseau fût un excellent nageur
comme il était facile de s'en assurer car la petite
compagnie de zobars qui venaient de s'abattre sur la
portion du lac délivrée de la glace menait sa pêche
avec activité, les oiseaux filaient en soulevant des
vaguelettes, plongeaient, se cambraient pour déguster
leur proie. Les zobars venaient du sud, ils ralliaient le
printemps arctique sans que Mlle Beaunon comprît ce
qu'ils attendaient de l'île où elle s'ennuya à les
regarder sautiller. L'île était encore presque blanche.
Naturellement, une fois de plus, qu'allaient-ils préparer ? Leurs nids. Ils trouvaient en bordure de la neige
des brindilles que le froid avait desséchées, ils récol-
taient aussi des algues. Bref, ils firent des nids et
firent des œufs, comme on s'y attendait. A peine
alignés les œufs éclosent ; plus gros que les corps, plus
larges, les becs s'ouvrent en entonnoir, ne cessant de
hurler pour réclamer leur dû que sous un poids de
chair fraîche qui les engorge quelques secondes.

Chacun de ces monstres considère le monde extérieur comme une matière comestible sur laquelle il a des droits, une proie qu'avec une impatience aveugle il veut engloutir en soi, transformer en soi. Les petits suivent leur mère à proximité de la neige qui au début ensevelissait les trois quarts de l'île, rasés par une bise dont les rafales poudreuses se mêlaient aux accords tumultueux de Moussorgski ; maintenant une mélodie de Beethoven participe à la brève liesse des fleurettes jaune d'or que la brise caresse le long de prairies neuves où s'éparpillent de clairs ruisseaux ; ceux-ci s'échappent des derniers bancs de neige et de glace, ils sont vifs et les poussins qui subissent docilement leur éducation aquatique se laissent culbuter en cabriolant jusqu'au lac où surgissent à la nage des animaux cornus. Mlle Beaunon n'était pas mécontente que des mammifères vinssent la retrouver dans ce couvent de volatiles mais elle se demanda pourquoi ils se donnaient la peine de franchir cette eau glacée pour paître une île aussi nulle. A l'improviste la voix du commentateur traversa Mlle Beaunon comme un courant électrique ; elle crut d'abord avoir entendu prononcer son nom, son vrai nom, *Beaucon,* puis découvrit que le mot qui avait modifié les battements de son cœur était *Caribou.* Elle se souleva pour apercevoir le caribou de Paul qui broutait son socle, puis elle reporta son regard sur les animaux vivants dont la voix annonça malheureusement le départ. Après une pause dans l'île, dans quelques jours ils fuiraient à la nage vers la rive méridionale du lac et les zobars les imiteraient. Ces printemps commencent très tard et finissent sans été. Quand, aussi pressés que les caribous, les zobars prirent leur vol et en s'éloignant devinrent des accents circonflexes, les flocons déjà alourdissaient le ciel et Moussorgski reprenait ses droits. Elle n'attribua aucun sens à cette réapparition du caribou dans sa vie, mais elle laissa se prolonger une émotion qui était vide de tout contenu et incommunicable.

Le deuxième et le troisième dimanche

L'écoulement de la semaine avait été lent et mollement cruel. Les deux premiers jours la proximité du bureau de Paul, vide, après l'avoir surprise, la dépassa comme un supplice insoutenable. La semaine précédente, il était vide, ce bureau mais il attendait encore, comme un chien, le retour de son maître. Elle ne pouvait s'empêcher d'y entrer, de remuer les dossiers, de mettre l'agenda à la date du jour puis, effrayée par la vanité de ses gestes, elle prenait la fuite. Tantôt elle tenait la porte fermée ce qui lui permettait d'oublier que Paul était absent, tantôt elle la tenait entrouverte pour se sentir plus près de lui. Cette travailleuse rapide et acharnée mettait maintenant une heure pour rédiger et taper une lettre. Du bureau des dactylographes parvenaient un chuchotement ou un jacassement qui la mettaient hors d'elle. Quand elle avait affaire à elles c'était encore plus sèchement que d'habitude, et sans les regarder qu'elle leur parlait. Elle redoutait surtout les allusions à Paul, or toutes étaient tentées de commenter l'événement. Elles soupçonnaient Mlle Beaunon de connaître sur les derniers moments de Paul des détails qui les affrio-

laient. Celle-ci se borna à leur répondre : M. Paul
Bâche est mort en homme qui sait vivre. Elle acceptait de prononcer « il est mort » parce que le verbe
qu'elle employait était à l'indicatif présent mais elle
ne parvenait toujours pas à supporter qu'on évoquât
Paul au passé, comme le prouva peu après un petit
incident qui l'opposa à Juaurez. Car contre toute
attente ce ne fut pas Courtelaine qui vint occuper le
bureau mais Juaurez chargé de remplir à mi-temps les
fonctions de Paul. A peine installé il examina un
projet relatif à l'art gothique et soupira : « Paul
Bâche m'avait fait remarquer que le christianisme
avait sans doute découvert quelque chose de l'être
humain, puisque, à Chartres, un sourire était apparu
qui n'avait jamais éclairé aucun visage en Occident ou
ailleurs. Mais il sautait si vite d'un propos à un
autre... » Avec netteté, comme elle aurait énoncé un
théorème, Mlle Beaunon avait annoncé à Juaurez,
ahuri, qu'elle le priait de ne jamais parler de Paul au
passé. « Mais comment voulez-vous que je fasse ? —
Arrangez-vous. » Pendant quelques jours elle avait
songé à passer son dimanche à Chartres, elle y avait
renoncé pour une entreprise plus urgente qu'elle
s'apprêtait à accomplir.

Le dimanche était beau. Il avait plu toute la
semaine mais c'était oublié. En arrivant Yolande
attendrie par le soleil s'était exclamée avec conviction :

— Nous aurons une belle arrière-saison.

Cette expression, Mlle Beaunon l'admirait depuis
son enfance. L'arrière-saison évoquait pour elle les
coulisses d'un palais, des coulisses très fardées, un
peu ombreuses, alourdies de boiseries et rafraîchies
par des palmes. L'arrière-saison était une victoire

imprévue, un retour du temps, un triomphe qui était éphémère de nature et annonçait puissamment les noirceurs de l'hiver. Elle avait nourri gaiement sa nièce et lui avait annoncé qu'elle était obligée de repasser au bureau pour terminer un rapport urgent. Elle partait quand Lucien déboucha. Il portait comme Yolande un jean et un tee-shirt. Mis de côté ses dents et son regard (qui signifiaient un caractère) son accouplement avec Yolande aurait passé pour harmonieux. Lui aussi, touché par le soleil, accédait à l'enjouement. Elle les embrassa tous les deux et fila avec le petit sac Hermès qu'on lui avait offert à la boîte pour ses « vingt ans de maison ». Volontairement elle avait choisi un sac étroit pour que le produit de son vol fût discernable à son retour.

Elle partait voler le petit vase de cuivre qui restait encore posé sur l'ancien bureau de Paul. Réussir ce larcin aurait été trop facile en semaine. Elle avait cherché la difficulté. Paul avait un jour observé, sans doute était-ce une citation, qu'un bon écrivain doit avoir la plume facile et se créer lui-même les difficultés. Un bon voleur aussi. Elle en oubliait que les voleurs, en général, attendent de leurs initiatives un bénéfice lucratif. Jamais le projet ne lui serait venu de s'emparer d'un objet dont elle éprouvât un besoin matériel. Le samedi quand elle avait terminé ses travaux ménagers et ses courses, tout à coup la décision s'imposait et elle s'attardait dans un grand magasin ou une grande surface à la recherche de l'objet peu encombrant qu'elle pourrait dérober. Elle jetait son dévolu sur un petit cadre orné de fausses perles ou de coquillages, sur une paire de gants ou de bas, sur un moulin à poivre, sur un coupe-papier, peu importait. On en revient toujours à ce sentiment de gêne qui tenait tant d'importance dans sa vie, c'était pour l'obtenir qu'elle courait le risque d'être prise en flagrant délit. Elle n'ignorait ni la vigilance des inspecteurs ni la malice des jeux de glace ni l'indiscrétion des écrans de télévision. Son forfait accompli elle laissait durer le plaisir en s'attardant un peu dans le magasin ; sur le trottoir, pendant une centaine de mètres, elle prolongeait le plaisir. Elle en trouvait un autre à entrer dans un magasin voisin où l'exercice consistait à déposer subrepticement l'objet volé parmi d'autres objets innocents, ce qui était encore plus délicat et l'exposait si elle était surprise à de bien embarrassantes explications.

Le petit vase de cuivre était sacré depuis qu'il avait provoqué les confidences de Paul sur ses relations avec son père. La certitude que le vase avait sa place auprès du caribou s'était imposée au début de la semaine puis l'installation de Juaurez dans le bureau avait rendu l'expédition plus urgente. Mais en la reculant au dimanche elle s'obligeait à des précautions et à des mensonges dont elle tirait le trouble qui lui était cher. Alors qu'en semaine il aurait suffi qu'elle attendît tout bêtement le départ des dactylos, qu'elle enfournât le vase et s'en allât en toute sécurité.

Sortie du métro elle adopta un pas de chasseur pour parvenir vite sur le théâtre des événements. Elle s'arrêta essoufflée devant les baies vitrées de la société et appuya sur le bouton d'appel au gardien. Presque aussitôt l'interphone grésilla et elle reconnut la voix de Butor qui était franchement hostile.

— Qu'est-ce que vous me voulez ?

— Je suis mademoiselle Beaunon.

Il l'obligea à répéter puis elle entendit bruire des

chaînes et se succéder de sonores déclics. La porte s'entrouvrit et Butor s'écarta pour laisser le passage. Il était en manches de chemise avec des bretelles mais portait son képi sur lequel étincelaient les initiales U.G.R.A. Dans son enfance Mlle Beaunon avait souvent rencontré des hommes qui gardaient une cigarette en réserve, logée entre le crâne et le pavillon de l'oreille. Mais il était le dernier utilisateur du procédé.

On l'appelait Butor depuis toujours, soit plus exactement depuis vingt ans ; on avait oublié son vrai nom et les jeunes, de la meilleure foi du monde, lui donnait du « monsieur Butor ». Ce sobriquet ne visait pas sa voix car, Mlle Beaunon l'avait constaté à la télé, le butor est un oiseau qui beugle comme un taureau, or celui-ci possédait une voix frêle et sourde ; il était probable que les moqueurs avaient moins pensé au comportement de l'oiseau qu'au sens figuré pris par ce terme pour désigner un homme brutal et borné. Il était en effet brutal. Dans un couloir, il se taillait passage d'un coup d'épaule, dans l'ascenseur il s'imposait comme un commandant de bord. N'étant pas syndiqué il avait pu mijoter avec la direction du personnel un arrangement, tantôt il veillait, tantôt il dormait, il mangeait en veillant et en dormant et son revolver ne le quittait guère. Sans doute avait-il pris jeune le parti d'intimider, même de faire peur, ou encore n'avait-il adopté ce personnage qu'en quittant l'armée pour perpétrer dans la paix urbaine un tumulte guerrier. Sa stature se prêtait mal au jeu, il était petit, maigre, assez large d'épaules mais ces épaules étaient creusées et la poitrine étroite. En plus ses mains tremblaient et, au repos, son ossature semblait sur le point de chanceler mais de même que

les auteurs du XIXe écrivent parfois « nerveux » pour
« musculeux », on sentait des nerfs d'acier dans cet
ectoplasme, des nerfs qui s'entendaient bien avec des
muscles maigres et des poings énormes. Selon ses
rares confidences qui ne s'étaient réduites qu'à quelques phrases, toujours les mêmes, il avait « fait » le
débarquement, l'Indochine et l'Algérie, se vantant
d'une cicatrice que cachait sa moustache, une vaste
moustache en éventail dont il mâchonnait les franges.
Mlle Beaunon ne l'avait jamais autant regardé qu'en
cette minute, il le méritait puisqu'il était le seul
témoin du vol et constituait le seul danger.

Elle avait oublié de taper un rapport urgent et de
l'expédier, elle venait s'en débarrasser avant de courir
poster la lettre rue du Louvre : elle récitait son
mensonge avec un naturel parfait. Il avait écouté avec
la mine de qui est résolu à ne rien entendre de ce
qu'on lui dit mais au bout du compte il acquiesça. Il
ajouta avec importance qu'il allait couper les disposi-
tifs intérieurs d'alarme, qu'il les rétablirait dans
quelques minutes et qu'elle aurait donc à l'appeler par
le téléphone quand elle voudrait repartir. Dans l'ascenseur elle affronta le regret de n'avoir pas été assez
gênée pendant cette entrevue mais se consola en
imaginant la sortie qui serait plus capiteuse. Elle
commença par s'asseoir devant son bureau et par
admirer le silence. Le soir, si elle s'attardait, lui
parvenaient encore les éclats de voix des femmes de
ménage et les ronflements des aspirateurs. Quand elle
mentait il lui plaisait de toujours mêler à la fiction une
trace de vérité. Aussi avait-elle volontairement omis
de taper et d'expédier une lettre destinée à un
châtelain qui louait ses salons et son parc pour un
tournage à des conditions que la société acceptait. Le

silence s'effaça sous le ronronnement de la machine électrique. Mlle Beaunon tapait sans hâte, elle dilua même le texte pour prolonger l'attente de l'instant où elle passerait à l'action. Enfin elle poussa la porte du lieu qui était toujours pour elle le bureau de Paul — qu'elle appelait même parfois la chambre de Paul sans se sentir coupable d'un lapsus mais seulement d'une approximation excessive qui sous-entendait que c'était avec cette pièce que Paul entretenait la plus profonde intimité. Elle ouvrit la fenêtre, elle aéra, retardant encore l'événement qu'elle était d'ailleurs décidée à décomposer en plusieurs gestes. D'abord elle saisit le vase et le tenant blotti contre sa hanche comme une voleuse d'enfants elle s'enfuit dans son bureau. Elle le déposa devant elle, à côté de la timbale où elle conservait des bic, des ciseaux, un pot de colle, une lime à ongles. Il brillait sans excès comme autrefois, au temps où le regard de Paul se posait sur lui. Souvent, en réfléchissant ou en rêvant, il avait dû contempler machinalement ce vase inoffensif au cou long et mince, au globe discrètement ciselé. Pour la première fois elle examina les motifs ornementaux et reconnut des roses épanouies autour desquelles voletaient des oiseaux plus petits que des papillons. Elle s'enfonça dans le fauteuil, malgré ses principes de rectitude, et s'abandonna à une torpeur. Entre ses yeux mi-clos elle ne distinguait plus du vase que son éclat. Elle se sentait très proche de Paul et se demandait si pour obtenir une proximité aussi étroite il lui faudrait toujours accomplir des démarches insolites. Puis elle ne se demanda plus rien du tout, jouissant d'une telle paix qu'elle se vit sur le bord du sommeil et se redressa pour exécuter le geste suivant qui consistait à glisser le vase dans le sac Hermès. Ce

dernier, fort de son étroitesse, résistait. Elle parvint à
le refermer : son flanc exhibait une bosse volumi-
neuse qui révélait la présence du globe et ne passait
pas inaperçue. Butor, s'il était tant soit peu observateur, ne pourrait pas ne pas remarquer que ce sac
mince et plat à l'arrivée était rebondi au départ. Dès
lors elle brûlait de subir l'épreuve. Elle chercha le
numéro du gardien sur l'agenda, l'appela par le
téléphone intérieur et lui annonça qu'elle repartait
Elle mettait la même hâte à partir qu'elle avait mise à
arriver. Elle tenait d'une main la lettre destinée au
châtelain et de l'autre la poignée du petit sac qui
battait contre sa cuisse, prenant soin d'offrir au regard
le flanc du sac le plus gonflé. Ainsi déboucha-t-elle
dans le hall. La porte était entrouverte mais Butor
montait la garde. Elle dut s'arrêter.

— Votre lettre, vous l'auriez envoyée demain
qu'elle serait arrivée tout pareil.

— Je préfère prendre mes précautions.

— Vous comprenez que si tous les employés s'avi-
saient de revenir chaque dimanche histoire de figno-
ler, ce serait un drôle de chantier ici et je ne pourrais
plus répondre de rien.

— C'est la première fois que ça m'arrive.

— Je ne vous dis pas non. Mais c'est justement ça
qui m'a étonné.

Au moment où soulevée par une bouffée d'émotion
elle se demandait si ses craintes n'allaient pas se
réaliser il changea de ton.

— Vous êtes plus pimpante le dimanche que la
semaine. Vous en avez une jolie jupe.

Si pour draguer Mlle Beaunon revêtait volontiers
une tenue austère elle appréciait, pour voler, des
tissus légers et des tons vifs. Elle portait donc un

chemisier rose qui lui laissait les bras nus et une jupe de soie bariolée, flottante et assez courte car elle l'avait achetée à l'époque des minis ; bien sûr elle ne se serait jamais montrée dans une mini mais elle avait admis de raccourcir la longueur de ses jupes et de découvrir le genou et la naissance de la cuisse. Comme Butor s'était légèrement écarté Mlle Beaunon qui était parvenue à l'entrebâillement de la porte se trouvait le jouet d'un courant d'air qui soulevait la jupe. Ce va-et-vient soyeux sur des jambes brunes accaparait le regard de Butor qui s'était fait attentif et sournois. Quant au sac, il s'en fichait. Mlle Beaunon avait espéré une certaine sorte de gêne, elle en subissait une autre plus banale qui lui déplaisait complètement. Elle brusqua les adieux et s'éloigna rapidement en espérant que cette rencontre dominicale n'inciterait pas Butor à se montrer dorénavant familier.

Il lui plaisait de marcher en secouant un peu le sac qu'enflait l'objet du délit. Ce quartier qu'elle connaissait bien était défiguré par le dimanche. Aux foules hâtives et presque hallucinées qui lui étaient familières, des passants à la lente démarche s'étaient substitués, familles qui tenaient toute la largeur du trottoir, couples qui s'éternisaient devant une vitrine, solitaires qui, sombres ou allègres, musardaient. Quand elle parvint à proximité de la place de l'Opéra, les touristes se firent nombreux et sur les marches du théâtre ils constituèrent presque la totalité des pèlerins qui se reposaient assis et détendus comme s'ils rêvaient sur l'herbe d'un sous-bois. Auprès d'elle un couple qui était peut-être hollandais ou australien ne formait qu'un seul corps tant ils étaient serrés l'un contre l'autre. Ils se tenaient la main, apparemment

unis moins par le désir que par la tendresse. Voir ces
mains frôler et étreindre leurs doigts la meurtrit. De
ses amants de passage elle n'avait jamais accepté que
des gestes se rattachant à un acte précis. Elle n'avait
presque jamais touché la peau de Paul ; d'un accord
tacite ils évitaient même de se serrer la main. Elle
entrouvrit son sac et caressa le galbe du vase se
rappelant qu'il arrivait à Paul de flatter ainsi le cuivre
d'un mouvement machinal quand il pesait le pour et le
contre avant de prendre une décision. A travers le
métal c'était une main qu'elle retrouvait et dont elle
imitait le mouvement pour s'identifier à elle.

Elle possédait un Paris secret où, pendant la belle
saison, les marches de l'Opéra avaient leur place.
Bien que la majorité des filles portassent des panta-
lons, les jupes n'étaient pas rares et elle n'eut pas de
mal à dépister les « mateurs ». Elle en repéra trois
très vite. Ils flânaient au bas des escaliers, se fiant au
hasard et à leur patience pour profiter sous un angle
heureux d'une position particulièrement favorable.
Les êtres qui déambulaient sur la place hésitaient
entre plusieurs itinéraires, libres de leur choix, mollement désemparés. Seuls les maniaques utilisent le
jour férié avec fièvre. L'existence des mateurs avait
été révélée à Mlle Beaunon par un cameraman qui,
pour un documentaire intitulé « Les mystères de
Paris », avait proposé à Paul une séquence consacrée
à cette race d'hommes dont, à la dérobée, il avait
tourné le manège devant l'Opéra et la Madeleine, aux
Tuileries et en quelques autres lieux ; une race vieille
de bien des siècles dont l'inspiration avait allumé le
regard des vieillards autour de Suzanne, inspiré à
Fragonard le libertinage de *l'Escarpolette* et aux
dessinateurs du XIXe leurs descentes de diligences.

Entre Paul et le cameraman la conversation avait duré un bon moment, assez longtemps pour que, frappée, Mlle Beaunon décidât de vérifier sur place. Elle n'éprouvait aucun dégoût pour des êtres qui avaient fixé leur désir sur un détail, au détriment de l'ensemble car, sans pouvoir l'expliquer, elle établissait une parenté entre elle et eux. Parfois pour donner du plaisir à l'un d'eux elle prenait une position favorable à son regard mais aussitôt après la rectifiait, jugeant qu'en prolongeant l'émotion qu'elle lui offrait, elle l'atténuerait.

Bientôt elle oublia les êtres qui l'entouraient, les façades de la ville ; elle avait sorti le vase du sac. Le soleil était encore puissant. Sa lumière flambait sur le cuivre. Elle était pleine de bonheur puis vite assombrie par un regret parce qu'elle savait bien qu'elle ne pourrait pas rester éternellement assise au soleil sur ces marches, le vase dans sa main et qu'elle retrouverait à « la maison » Yolande et Lucien.

Elle avait donc besoin de projeter son espoir sur un autre thème. Le jour des obsèques de Paul, elle avait remarqué dans la « maison mortuaire » un *Laocoon* de bronze luisant qu'une vieille femme lui avait assuré être un porte-malheur dont Paul avait été victime. Il lui fallait trois objets du culte, le caribou, le vase et ce Laocoon. Mais ce Laocoon elle ne le volerait pas. Elle préférait renouveler ses méthodes, elle le négocierait. Le dimanche suivant elle irait dans la maison de Paul, à Lucé, près de Tours.

Le dimanche suivant elle se laissa ravir par le bruit étale de l'autoroute. Elle entendait ce bruit comme un chant uni qui effaçait le temps et lui imposait la présence du Beau.

Mlle Beaunon et le Beau

La situation de Mlle Beaunon en face des arts plastiques était embrouillée ; elle savait bien que sa passion pour Rodin relevait moins de l'esthétique que de l'érotique ; le dosage aurait été impossible à préciser ; elle n'avait d'ailleurs aucune envie de l'analyser. En revanche elle estimait en toute sérénité que l'odeur du crottin de cheval était un beau parfum. Elle déplorait que les écuries fussent devenues rares et que ce qu'elle recevait comme un haut plaisir lui fût si parcimonieusement accordé. Elle était la première à déplorer son égarement : il n'était pas de mauvais goût de draguer dans un musée ni de voler dans un magasin, les ladies nymphomanes ou kleptomanes ne se comptant pas, mais il était d'un mauvais goût évident d'admirer l'arôme du crottin.

Elle était assez indifférente à la musique et détestait carrément les instruments à cordes sauf dans les couloirs du métro où leurs accords la ravissaient comme un clair de lune. Elle ne manquait jamais de remercier le ou la violoniste par une pièce ou un billet, indignant Yolande qui lui avait reproché d'exhiber sa charité. Mais où qu'elle fût, du réveil à l'extinction des feux, elle raffolait des sonneries militaires tout en croyant que rien n'était plus niais. De même elle regrettait les illustrations du calendrier des postes et des couvercles de boîtes de biscuits ou de nonnettes dont, depuis l'enfance, elle gardait le souvenir émerveillé. Ignorant que la mode était venue de collectionner les chromos elle cachait comme une tare cette inclination et, pour elle seule, en de secrètes délices, se rappelait les images qui, pareilles à des cornes d'abondance, déversaient les raisins luisants, les pêches de velours, les figues au bleu glissant et râpeux entrouvert par des fentes roses et humides qui mettent l'eau à la bouche, les jeunes chats moelleux aux yeux en bille d'agate jouant avec des pelotes de laine. A l'église qu'elle ne fréquentait que pour des cérémonies, elle se laissait remuer au plus profond par l'orgue mais elle l'avait associé aux condoléances ou au mousseux et l'avait classé, avec les carillons, parmi les instruments vulgaires, tout comme l'accordéon ; ce dernier ayant à l'improviste arraché à Paul Bâche un discours enthousiaste, elle avait cru à un badinage.

Elle n'aurait pas osé davantage soutenir qu'elle trouvait belle la tour Montparnasse, et même ensorcelante la nuit quand sa forme se fond dans l'obscurité, se métamorphose en une cascade figée de pierres précieuses, un trésor de *Monte-Cristo* ou des *Mille et Une Nuits* suspendu dans le ciel et effaçant avec une indifférence souveraine l'éclat des étoiles voisines. Le terme « rivière de diamants » elle ne l'avait compris qu'après s'être laissé clandestinement séduire par l'abominable tour.

Elle avait un culte pour les sons produits par l'eau, le chuchotement d'une petite pluie sur la mousse, le martèlement d'une averse sur l'ardoise ; elle avait souvent écouté passer la voix régulière du Rhône, et les ruisselets suisses s'étrangler en sanglotant ; devant une gravure représentant les chutes du Niagara elle se délectait de la clameur continue qui l'envahissait toute. Elle apparentait au bruit de l'eau celui d'une autoroute où se conjuguent le travail régulier des moteurs et l'entente des pneus avec l'asphalte et si elle avait possédé un électrophone elle se serait empressée d'acheter un disque où ce chœur aurait été enregistré, mais elle *savait bien qu'elle était la seule à l'apprécier, s'étant dit une fois pour toutes qu'elle avait sur le Beau des idées qu'il valait mieux garder pour soi et bien décidée à s'abstenir de chercher à partager l'admiration que lui inspirait le soupir puissant de l'autoroute.*

Elle la quitta à regret pour naviguer dans Tours. Dès qu'elle eut passé la Loire elle se reconnut sur l'autre rive non grâce à des détails qui se seraient fixés dans sa mémoire mais plutôt selon des vues générales dont elle ne savait pas qu'elle les avait retenues, la pente des coteaux, la répartition des vignes, le contraste entre la turbulence irrégulière de la route et la placidité de la bande de terre plate qui sur la droite bordait le fleuve. En trois semaines les feuillages s'étaient hâlés. Des feux d'herbes exhalaient de molles fumées bleues et lentes, des vendangeurs se penchaient vers les grappes ; il y avait une brume automnale dans l'air où Mlle Beaunon, si peu campagnarde qu'elle fût, imaginait l'odeur de souterrain que suggèrent les champignons quand on les détache et les entasse dans un fichu.

Après avoir longé Lucé, elle allégea la pression de son pied sur l'accélérateur, craignant de manquer l'embouchure du petit chemin montant. Elle s'y engagea, étonnée de ne pas être plus étonnée par la maison de Paul qui surgit plus proche que prévu. Cette expédition s'était organisée et s'exécutait avec une facilité inquiétante. Quand il avait été bien établi pour elle que Laocoon avait sa place auprès du caribou et du vase, elle avait téléphoné à Léone qui était, des femmes de Paul, celle qu'elle avait le mieux connue. Coup de téléphone cruel ; elle appréhendait

le chagrin de Léone et plus encore elle avait horreur
de demander. Elle était persuadée que depuis la mort
de Paul, Léone n'avait plus le sou et qu'elle possédait
tout juste cette maison de Loire et les objets fatigués
qui y sommeillaient. Habituée à n'acheter qu'à des
commerçants, lorsqu'il lui fallut proposer à Léone
mille *nouveaux* francs ou deux mille, elle suivit les
vicissitudes de sa voix qui s'étranglait et s'assourdis-
sait. Léone avait tout arrangé, Laocoon lui importait
peu. Sans doute inquiète d'avoir dévalué ce qui pour
son interlocutrice était un objet de convoitise, Léone
avait ajouté précipitamment qu'elle serait heureuse
de savoir ce bronze sous la garde de Mlle Beaunon.
Elle lui avait envoyé une lettre pour Mme Tiffauge,
chargée de la surveillance de la maison, puis lui avait
téléphoné de venir prendre les clés chez sa concierge
afin d'éviter une visite à la vieille sorcière. Les
relations de Mlle Beaunon avec ceux qui avaient
connu de près Paul tenaient de la prestidigitation.
Obligée de parler presque tous les jours avec Juaurez
elle devait faire preuve de vigilance et de sang-froid à
chaque méandre de la conversation pour détourner
une phrase où Juaurez aurait enfermé son ami dans
un passé révolu, rebondir à temps sur un mot qui
aurait exclu Paul des vivants. C'était avec Léone
qu'elle avait le moins souffert car Léone semblait
avoir inventé un Paul posthume avec lequel elle
continuait de s'entretenir, lui prêtant des intentions et
certaine qu'il serait charmé de voir Laocoon se
transporter chez Mlle Beaunon. Celle-ci n'avait pas
osé franchir le portail en voiture, elle s'était rangée le
long du chemin et avait soigneusement verrouillé les
portières car il était dans son caractère de prendre

plus soin d'un véhicule de location que de son bien
propre.

Elle se munit d'un vaste sac de cuir, poussa la grille
réticente et traversa la terrasse plantée de deux ou
trois arbres dont quelques feuilles orangées commen-
çaient déjà de joncher le sol. Elle regarda l'heure à sa
montre. Il était juste dix heures. Elle tenait à accumu-
ler des détails précis sur une visite qui lui permettrait
non seulement de s'emparer de Laocoon mais aussi de
s'introduire au petit bonheur dans la vie de Paul. Elle
savait qu'elle n'oublierait jamais les minutes qui
l'attendaient. Elle avait toujours apprécié cette sorte
de certitude : se dire le moment que je vis ou que je
vais vivre est inoubliable. L'installation du caribou sur
le socle, l'enlèvement du vase s'étaient déjà inscrits
dans ce matériau qui différait de la vie quotidienne et
s'apparentait à l'éternel ; il en serait de même de cette
promenade dans la maison et du départ de Laocoon.
A l'extérieur il faisait frais, à l'intérieur il fit froid. Le
corridor sentait déjà l'hiver et l'abandon. L'électricité
ne fonctionnait pas mais elle trouva le compteur, une
lumière hostile se répandit. Les portes étaient toutes
fermées à clé mais le trousseau pendait, suspendu à
un crochet de cuivre, et elle eut accès à toutes les
pièces qui hantaient sa curiosité. Elle reconnut avec
précision une chambre où, lorsqu'elle était venue
pour les obsèques, le corps de Paul était allongé sur
un lit, sombrement vêtu, attendant la mise en bière.
Le lit était alors ensoleillé mais la fermeture des volets
l'avait isolé des variations de la lumière extérieure.
Elle se rappelait le parfum puissant des fleurs coupées
répandues dans des vases et sur le lit et le bruissement
d'insectes volants, mouches, guêpes. Elle huma une
odeur sucrée, celle du moisi, et le seul insecte qu'elle

aperçut était une araignée endormie dans sa toile. Elle revoyait Léone entrant dans la chambre, ouvrant son panier, et, malgré les protestations, lâchant un petit chat qui avait escaladé la poitrine de Paul.

A la recherche de Laocoon elle aborda l'autre rive du couloir et pénétra dans une pièce qui était trois fois plus grande que les autres, comme dans un conte, et trois fois plus sombre. L'électricité allumée, la pièce restait opaque, à moitié salon à moitié bibliothèque, jadis bleue, envahie par un vert qui tantôt tournait au bronze tantôt au jaune des lichens mordus par de longues salaisons ; cette manœuvre de couleur était surtout due aux dos des livres reliés dont les cuirs élimés retrouvaient l'éclat éteint de citrons racornis, la pompe des rouilles, les unes flamboyantes, les autres enrouées ; certains cuirs inclinaient vers l'ardoise, d'autres vers l'absinthe. Les ors las des titres chuchotaient la présence des *Nouveaux Lundis* de Sainte-Beuve, des *Origines de la France contemporaine* de Taine, de la correspondance de Voltaire et, incomplètes, des œuvres complètes de Chateaubriand ; *l'Histoire du Consulat et de l'Empire* par Thiers était en guenilles non parce qu'elle avait été souvent consultée mais parce que l'on n'avait jamais osé la rénover ni la jeter. Elle soupçonna ces livres d'avoir été traînés par cette famille comme une particule ou une maladie vénérienne, bref Paul ne les avait pas lus.

Sur un rayon plus élevé s'entassaient, non pas debout mais couchés, des livres plus simplement reliés ou cartonnés, bleu marine ou vert bouteille, tous scolaires qui traitaient de physique et de mathématiques. Elle se rappela que le père de Paul était ingénieur et en conclut que ces livres devaient dater de ses études. Bien qu'ils fussent serrés les uns contre les autres, elle réussit à en entrouvrir quelques-uns et aperçut des figures géométriques et des équations. Elle en soupira. Pendant son adolescence elle avait entretenu avec les sciences des relations dont elle ne savait pas si elle était sortie narquoise ou vaincue.

Mlle Beaunon et l'Abstraction

Rebelle aux affirmations qu'on lui inculquait, dès le sortir de l'enfance, elle avait tenté d'opposer son jugement à la certitude des autorités. Elle avait rencontré plusieurs fois l'échec. En bonne logique, il allait de soi pour elle que les températures devaient s'additionner et que si l'on additionnait un demi-litre d'eau à vingt degrés et un demi-litre d'eau à quarante degrés on obtenait un litre d'eau à soixante degrés. L'expérience maintes fois répétée dans la cuisine avait toujours infirmé cette hypothèse, mortifiant d'autant mieux Mlle Beaunon que son père, pendant qu'armée d'un thermomètre elle s'affairait avec ses casseroles, ricanait chaque fois qu'il passait derrière elle. De même elle avait refusé d'admettre la loi de la pesanteur qui voulait que tout objet abandonné à lui-même tombât vers la terre à la même vitesse quel que fût son poids. Il était naturel qu'un objet lourd tombât plus vite qu'un objet léger. Elle en répéta plusieurs fois la démonstration expérimentale, obtint même la collaboration de sa sœur qui du deuxième étage lâchait ensemble un poids d'un kilo et un poids de cent grammes, empruntés à la balance familiale ; allongée dans le jardin elle contrôlait l'arrivée. Quand sa sœur que le jeu avait cessé d'amuser renonça à le poursuivre, Mlle Beaunon n'in-

*sista pas, s'étant résignée au démenti que lui infligeait
la réalité et ne s'y résignant que comme à une injustice.
En histoire naturelle les grandes classifications, verté-
brés, mammifères, etc. lui étaient apparues arbitraires
et elle avait posé en postulat que toute autre classifica-
tion était aussi défendable ; ainsi avait-elle établi la
classe des animaux qui s'assoient sur leur postérieur,
tels le chien et le chat, le lion et l'éléphant, dont sont
exclus aussi bien le poisson, le serpent, la mouche que le
bœuf ou le cheval ; la classe des animaux qui tournent
la tête pour regarder par-dessus leur épaule qui allait de
la mante religieuse au chimpanzé ; celles des animaux
qui se grattent, de ceux qui éternuent, ou qui émettent
des pets, et bien d'autres classes encore mais aucune ne
se prêtait à des généralisations qui auraient permis
d'établir les fondements d'une recherche efficace. Elle
avait été longue à se décourager parce que quelques
incidents l'avaient confortée, en toute modestie d'ailleurs, dans la certitude que son cerveau était doué pour
apporter à la connaissance du monde. A douze ans,
affligée d'une angine, elle avait surpris un médecin qui
perdait son temps à lui demander si elle avait moins
mal que la veille ou juste un tout petit peu moins mal,
ou beaucoup moins mal, en lui répondant que la veille
elle souffrait à quatorze et aujourd'hui à neuf. Il
n'avait pu s'empêcher de hocher admirativement la tête
devant une enfant aussi naturellement disposée à
quantitativer des impressions ; cet homme était le
premier adulte qui fournit à Mlle Beaunon un encouragement quasi respectueux. Une seule fois un autre
adulte, une institutrice, l'avait considérée avec une
certaine estime, une estime étonnée : après l'expérience
qui consiste à jeter une goutte d'acide (du vinaigre en
l'occurrence) sur un morceau de craie pour vérifier*

qu'une effervescence se produit, Mlle Beaunon avait demandé comment l'on pouvait être sûr que si l'expérience se renouvelait l'ébullition se produirait encore. L'institutrice avait objecté qu'en des milliers de cas de la craie et de l'acide avaient été mis en présence et que le résultat avait toujours été probant. « Admettons que mille fois l'effervescence se produise, sur quoi se fonderait-on pour assurer que la mille et unième fois elle se reproduirait ? — Vous êtes peut-être très intelligente, avait enfin observé l'institutrice, mais vous avez l'esprit mal tourné. » En mathématiques elle avait également marqué un point ; sans doute pour être tranquille pendant un bon moment l'instituteur leur avait donné à additionner les quatre-vingts premiers nombres et il avait froncé le sourcil quand deux minutes plus tard elle lui avait apporté la somme. Il s'était apprêté à sévir puis sa colère s'était muée en perplexité quand Mlle Beaunon lui avait répondu qu'elle avait observé que $80 + 1 = 81$, que $79 + 2 = 81$, $78 + 3 = 81$, autrement dit il suffisait d'additionner le premier et le dernier chiffre de la série et de le multiplier par la moitié de la somme des chiffres en question, donc de multiplier 81 par 40, opération plus rapide à exécuter qu'une fastidieuse suite d'additions. Il avait gardé le silence mais la semaine suivante il l'avait prise à part pour lui confier qu'il avait consulté un professeur agrégé de ses amis (il s'était gonflé en prononçant « agrégé » comme si la gloire de ce grade rejaillissait sur lui) et que celui-ci lui avait répondu que cette propriété mathématique avait été découverte au siècle dernier par un grand savant allemand. « Je vous félicite, avait-il ajouté sans ironie apparente, de vous retrouver dans une compagnie aussi flatteuse. »

En une autre circonstance elle avait acquis la certitude qu'il y avait en elle une femme de science :

lors d'un de ses rares bavardages décousus avec Paul
elle s'était hasardée à lui confier que, petite fille,
lorsqu'elle sautait sur place dans le couloir d'un train
pour se désennuyer elle s'était étonnée de retomber à la
même place alors qu'ayant flotté dans l'air pendant
quelques secondes elle aurait dû tomber, vu la vitesse
du train, à une certaine distance de son point de départ.
Avec un sérieux du moins apparent, Paul lui avait
répondu que par cette expérience elle avait pris
conscience de la Relativité et établi qu'il n'y avait pas
d'observateur privilégié ni d'immobilité ni de mouve-
ments absolus, bref elle avait doublé Einstein. Elle ne
regrettait nullement de ne pas avoir poursuivi des études
mathématiques et physiques, elle préférait de beaucoup
la certitude où elle était demeurée que si elle avait voulu
elle aurait marqué sa place dans l'histoire de la
Science.

Elle connaissait évidemment par cœur les numéros
de téléphone dont elle usait fréquemment mais elle
n'aurait pu les réciter car elle s'était inventé un système
qui consistait à enregistrer le premier chiffre et à retenir
le schéma des variations qui suivait, croissantes ou
décroissantes. Le numéro de la C.I.C. était 555.54.42.
La valeur 5 se maintenait en ligne droite sur quatre
cases (5555) puis la ligne descendait d'une case en 4 où
elle se maintenait pendant deux cases (44) avant de
chuter de la moitié : 2. Pour peu qu'elle se rappelât le
premier chiffre elle pouvait former le numéro sur le
clavier en suivant le schéma qu'elle avait enregistré :

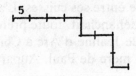

Elle n'avait confié à personne le secret de ce procédé, non qu'elle en fût jalousement fière ; elle n'en était pas honteuse non plus mais considérait que les traits par lesquels il lui arrivait de se distinguer du voisin appartenaient à son intimité. D'ailleurs elle soupçonnait les autres de se trouver dans son cas et ne tenait pas plus à pénétrer leurs recettes cachées qu'à révéler les siennes.

Son goût du net lui donnait de l'horreur pour tout propos diffus et elle brusquait Mlle Octobre quand celle-ci ne terminait pas une phrase, laissait en suspens, avec une inflexion de voix qui tendait à signifier : « Enfin vous voyez à peu près ce que je veux dire. » Elle récoltait de Mlle Beaunon un « Plaît-il ? » qui la foudroyait.

A peine entrouvert un album de photographies se révéla perle rare : l'album de famille. Elle commença par le frapper sur le plancher pour chasser la poussière qui l'ensevelissait puis l'emporta de l'autre côté du couloir et le posa sur le lit où Paul avait été exposé. Elle prenait ses aises pour affronter confortablement les visages antérieurs à celui qu'elle avait connu. Elle ouvrit la fenêtre, poussa les volets. Un vent frais, sur le point d'être froid, déposa une feuille morte sur la table de nuit ; des vapeurs s'élevaient de la Loire. Elle se lova sur le lit en frissonnant, c'était le dernier dimanche où elle sortirait jambes nues, frileusement elle serra sa jupe entre ses cuisses. L'album craquait, chaque page se déhanchait, toute prête à se détacher. Avec l'aplomb de Jeanne d'Arc à Chinon elle reconnut le père et la mère de Paul. Auparavant elle avait

négligé des personnages indéchiffrables. Il y a toujours dans un album de famille bourgeoise des aïeux
de père inconnu, des cousines mystérieuses, quelques
officiers subalternes qui errent avec leur sabre, mais
la mère était incontestable sous une ombrelle blanche
et une falaise blanche et le père, vêtu d'alpaga, coiffé
d'un canotier. Paul surgissait jeté sur une fourrure, à
demi nu comme un Christ. Un peu plus grand,
contrarié par des bottines, des chaussettes, un manteau de velours aux revers de dentelle, assis sur une
petite chaise proportionnée à sa taille, Paul, les
cheveux bouclés, regardait devant lui avec désespérance, non se disait-elle, ce n'est pas désespérance,
c'est non-espérance, il est tout étonné d'exister au
milieu d'objets qui l'ont précédé sur la terre, il sait
qu'il n'y a rien à savoir, il s'est résigné à vivre mais il a
renoncé à conclure. Encore un peu plus grand,
accoudé devant un jeu de construction il portait seul
le poids de l'ennui enfantin. Puis il souriait à l'improviste, en culotte courte, juché sur une bicyclette de
fille. Les parents prenaient gaillardement un peu
d'âge, la mère souriait après une partie de tennis en
montrant sa raquette, le père descendait de sa voiture, coiffé d'un béret basque, Paul auprès de lui
esquissait des grimaces. A treize ans, le cheveu assez
long, sans doute au bord de la Loire, en maillot de
bain, il refuse son regard ; il est un peu musclé et un
peu maigrelet ; son insolence très sérieuse annonce le
passage d'un état à un autre ; derrière lui une fillette
en robe d'été tient un épagneul dans ses bras. Cette
photo, qui la prit ? A cette heure, en ce lieu, un jour,
quelqu'un fit jouer le déclic d'un appareil qui enregis-
tra une bonne fois la présence de Paul, son refus
d'être aimé, la gentillesse insouciante d'une petite

fille et d'un chien, la bonne santé d'un saule submergé de feuilles à l'arrière-plan. Mlle Beaunon soupçonna une jeune femme, peut-être une parente, déjà sensible à Paul d'avoir appuyé sur le bouton et s'apprêta à refermer l'album. Par acquit de conscience elle hasarda un regard sur les pages suivantes pour le détourner aussitôt, Paul parvenait à la puberté ; elle n'entendait pas le suivre plus loin. Des femmes qui avaient compté dans la vie de Paul elle était la seule qui n'avait jamais eu avec lui de contacts charnels et tenait à ce privilège.

Le portail avait poussé une plainte rauque, les feuilles mortes grésillèrent sous un pas menu. Elle ne broncha que lorsque les lattes du parquet craquèrent le long du couloir annonçant l'apparition imminente d'un être humain. Elle s'assit sur le bord du lit, rassembla sa jupe, attendit et reconnut dans l'entrebâillement de la porte cette Mme Tiffauge qui détenait la garde des lieux.

— Qui êtes-vous ? Que faites-vous là ? demanda celle-ci avec un sourire aigu et franchement hostile.

A cette hostilité se mêlait une jubilation mal contenue. Elle se régalait de la chance qui lui avait permis de surprendre une coupable en flagrant délit. Tout innocente qu'elle était Mlle Beaunon sentit son cœur battre. Ce trouble lui plaisait. Dans le regard de son adversaire elle se sentait considérée comme une voleuse ou une indiscrète répréhensible. Elle ne se hâtait pas de dissiper le malentendu. Il lui fallut pourtant s'y résoudre, rappeler à ce juge haineux qu'elle était la secrétaire de M. Paul Bâche et que toutes deux s'étaient connues lors de ses obsèques. Mme Tiffauge était enveloppée dans une cape noire et coiffée d'une casquette de marinier ; ses mains disparaissaient sous un enchevêtrement de veines, et son visage était plus effilé encore que celui dont Mlle Beaunon avait gardé le souvenir, et surtout plus poilu car c'était presque une moustache qui s'allongeait sur les lèvres, ou plutôt sur une absence de lèvres, celles-ci ayant été avalées par la bouche.

— Je me rappelle, je me rappelle, articula posément Mme Tiffauge en s'adossant à la cheminée pour continuer confortablement l'interrogatoire. Oui, oui je me rappelle mais de quel droit avez-vous pénétré dans cette maison sans mon autorisation ?

La nonchalante Mlle Beaunon condescendit à exposer que Léone lui avait remis un jeu de clés. Elle les montra d'un air narquois comme une preuve puis agita une enveloppe de prestidigitateur.

— Elle m'a également donné une lettre pour vous. Lisez-la.

Mme Tiffauge tardait à toucher l'enveloppe puis à l'ouvrir ; visiblement elle imaginait un piège et redoutait d'y tomber.

— Lisez plutôt !

Mme Tiffauge entrouvrit sa cape, fouilla dans la poche de son pantalon, y cueillit des lunettes qu'elle hésita à jucher sur son nez.

— Pourquoi, demanda-t-elle, n'êtes-vous pas venue me voir d'abord avec la lettre ?

— Pour éviter de vous déranger. Mais je m'apprêtais à le faire car je n'arrive pas à trouver ce que je suis venue chercher.

— Vous cherchez quelque chose !

La voix vibrait d'indignation.

— Lisez.

Elle lut.

— Laocoon est chez moi ! Vous prétendriez me le prendre.

— Il n'est pas à vous.

— Les portes ferment mal. J'avais peur qu'on le vole. Il y a de plus en plus de voleurs par ici ce qui ne me surprend pas : ils sont de mèche avec la maréchaussée.

— Désormais vous n'aurez plus à vous inquiéter puisque je me charge de cet objet.

Sans répondre Mme Tiffauge relut la lettre puis commença de capituler.

— Vous ne préféreriez pas choisir un autre souvenir. Je suis attachée à cette sculpture.

— Mais moi aussi.

— Elle porte malheur, je vous préviens.

— Alors soyez contente de vous en débarrasser et ne perdons plus de temps. Prenons ma voiture si vous voulez bien.

A l'improviste Mme Tiffauge se résigna. Elle rabattit les volets, ferma la fenêtre et toutes deux s'engagèrent dans les ténèbres du corridor. Mlle Beaunon était glacée par la peur. Elle était sûre que cette femme songeait à la tuer et cherchait le moyen d'exécuter ce projet. Toutes deux marchaient lentement. Mlle Beaunon tâtonnait. Elle posa enfin la main sur la poignée de la porte et revint à la lumière du jour. Bien que le soleil fût absent, que le ciel fût uniformément gris, la clarté extérieure, au sortir de ce tunnel, fut vivace, radieuse. Mlle Beaunon reprenait sa respiration. Quand elles furent montées dans la voiture elle put considérer avec plus de lucidité cette inquiétante voisine. Celle-ci souffrait d'un très dur chagrin qui ne donnait que plus de prix à l'enlèvement de Laocoon. C'était la première fois qu'elle prenait de l'intérêt à la souffrance d'autrui. Il lui était arrivé de mortifier sa sœur. de taquiner Yolande, quand elle était petite, jusqu'à la mettre au bord des larmes, d'humilier Lucien et de jouir de la déconvenue de Courtelaine en contrecarrant savamment ses projets, mais jamais elle n'aurait supposé qu'elle pût se délecter de la haute souffrance d'une inconnue.

Quand elles descendirent de la voiture, devant la maison, un vent soufflait, assez coupant. Cette bâtisse sur laquelle Mlle Beaunon n'eut envie de porter aucun jugement était construite presque au sommet de la colline. En Suisse, elle avait remarqué que les sommets et les cols provoquaient des vents locaux, toujours impérieux, mais, ignorante de la campagne, elle n'aurait pas imaginé qu'un phénomène semblable pût se produire au bord de la Loire. Elles entrèrent. La grande salle était froide. Elle n'était pas vraiment sale : ni crasse ni poussière. Mais pour Mlle Beaunon qui avait de la propreté une notion agressive, la propreté devait se voir de loin, trancher, resplendir. Or, si la cuisinière était entretenue, les cuivres ne reluisaient pas, le bahut appelait les ardeurs d'un chiffon de laine qui aurait éveillé des éclats ambrés, les livres posés sur l'étagère n'avaient sans doute été caressés que par de rapides coups de plumeau, le tableau ovale avait le droit et même le devoir d'être bitumé par l'âge mais son cadre aurait mérité d'être redoré avec soin. Une odeur s'imposait qui n'était ni celle du moisi ni celle de la cuisine ; peut-être évoquait-elle le parfum ambigu qu'on respirait autre-fois dans des pharmacies désuètes. Ce lieu sentait la végétation, non pas la végétation vivante, crue mais celle qu'on a desséchée, réduite en poudre, emprison-née dans des sachets. Encore parmi ces sortes de

végétations tuées, certaines, celle de la lavande destinée à enivrer les draps, gardaient-elles une franchise
fraîche dont la gaieté acide esquissait une fanfare. Ce
n'était pas le cas de la senteur générale qui impré-
gnait ces lieux où la seule fanfare était procla-
mée par Laocoon dont le bronze avait été massé
avec un amour qui l'avait rendu presque transparent.

Leurs regards glissèrent ensemble sur le galbe des
muscles bandés par l'effort.

Mlle Beaunon estima qu'après avoir prouvé avec la
lettre de Léone son droit à la possession de cet objet
elle se devait d'apaiser l'indignation qui raidissait son
interlocutrice en lui montrant qu'elle était digne de
s'intéresser à l'œuvre. Pendant la semaine, au bureau,
elle avait consulté une encyclopédie, ce qui lui permit
d'observer d'une voix neutre que l'original dont ce
bronze était la copie avait orné la salle de bains de
Titus, qu'il avait été exhumé par un pape et restauré
par Michel-Ange et Le Bernin

— C'est bien possible, puisque tout est possible,
lança Mme Tiffauge avec une joie imprévue, emmê-
lant son rire et sa toux. Mais, ajouta-t-elle entre deux
quintes, je vous tiens là sans vous soigner alors que
vous êtes debout depuis le jour. J'ai quelques bons
alcools des îles. J'ai du tafia à moins que vous ne
préfériez le ratafia qui est plus fruité.

— Merci, je ne bois guère d'alcool, surtout le
matin.

— Une infusion alors. Par ce temps de demi-
froidure je m'en vais vous composer un mélange de
menthe et de chardon. J'y ajouterai juste un soupçon
de camomille des collines et d'ortie.

Déjà Mme Tiffauge avait atteint le bord de sa

cuisinière. Elle mettait de l'eau à bouillir sur un réchaud à gaz posé sur les vieilles assises de fonte. Elle agita des sacs, pulvérisa de petites feuilles.

— Le pape dont vous me parliez, reprit-elle, était un Borgia et les Borgia des empoisonneurs. D'où le danger.

Sans doute entendait-elle par là : le danger de posséder ce Laocoon. Mais pour Mlle Beaunon le danger était de boire cette tisane. Cette femme, pour conserver son trésor, est prête à m'empoisonner, se dit-elle avec entrain.

Elle n'avait jamais vu de poison que dans les films. Il se présentait comme une larme blanche ou bleue qui s'échappait d'une fiole et coulait dans un verre d'orangeade. Mais elle avait le souvenir, également filmesque, de poisons solides qui, sous l'aspect d'une précieuse dragée de couleur, étaient enchâssés sur une bague. Elle décida qu'une plante séchée pouvait contenir le même venin et se laissa fasciner par le pouvoir exterminateur du breuvage que la fée maligne composait devant elle avec de petits soupirs appliqués. Elle cédait à la curiosité, presque impatiente d'éprouver la vitesse de l'action, la durée de la souffrance. Mais elle n'était guère tentée par le plaisir de ne plus exister, c'eût été laisser tomber Paul.

Donc elle craignait cette tasse fumante. Elle trempa ses lèvres, but à petites gorgées régulières. Elle risquait la mort par politesse. Elle ne s'en étonnait pas. Il était impossible de refuser une tisane qui avait été offerte et qui avait été acceptée. Pour motiver sa dérobade il aurait fallu qu'elle manifestât du dégoût pour cette boisson, or elle ne révoquait pas en doute les principes selon lesquels elle avait été élevée qui exigeaient de l'invité qu'il appréciât avec un élan apparemment sincère ce que l'autre avait la bonté de lui offrir ; ou encore qu'elle formulât carrément un soupçon qui, dépourvu de tout argument, aurait ajouté l'injustice à la discourtoisie.

Sur les pierres douces et bossues qui carrelaient la pièce, des feuilles mortes s'étaient mises en marche, elles couraient en trébuchant, écarquillées, décharnées, pareilles à des araignées qui, jetées dans la friture, se seraient convulsées. La lumière qui jusque-là avait été étale s'accentua en un instant, aiguë, orangée, rayonnant comme ces coups d'éclat qui enflamment tout à coup un crépuscule du soir. Mlle Beaunon se demanda si l'hallucination dont elle était l'objet ne constituait pas le premier effet du poison. Puis elle se rappela que dans la chambre de Paul une feuille morte avait déjà voleté. Celles-ci étaient gouvernées par les vents coulis dont Mlle Beaunon sentait les morsures sur ses chevilles. Les vapeurs qui traînaient depuis des heures s'étaient élevées et avaient formé, sur un ciel encore matinal, des bandes sombres entre lesquelles le soleil proférait, comme à son coucher, des rais ardents. Autre motif de renoncer à l'empoisonnement : Mme Tiffauge versait de nouveau de la tisane dans les deux tasses et buvait. Or elle ne ressemblait pas à une empoisonneuse qui aurait sacrifié sa vie pour obtenir celle de sa victime. Je suis une sotte, conclut Mlle Beaunon en se levant.

— Votre tisane, ma chère, était un délice. Il ne me reste plus qu'à me sauver.

— Sans aller au cimetière ?

Mlle Beaunon en éprouva un choc. Elle broncha. Le mot cimetière appelait le mot poison. Au bout de quelques secondes elle respira et répondit d'un ton naturel :

— Pour moi, ça n'est pas M. Paul Bâche qui est au cimetière de Lucé.

Le quatrième dimanche

La veille, à cause d'un froid imprévu qui léchait et mordait, elle avait poussé à son extrême la force des radiateurs électriques. Dans la pièce l'air était chaud, orageux mais de l'autre côté de la baie le jour, à peine levé, poudroyait frileusement. Mlle Beaunon se promenait, une tasse de thé à la main, un cigare non allumé entre les dents, elle était nue.

Quand on veut se garder un avenir et qu'on manque de projets il faut en former un, et vite. Elle cherchait. Elle avait été comblée : en témoignait Laocoon pesant sur la planche qu'elle avait disposée, nappée de velours, au sommet du pilier ; la famille de bronze était encadrée par le caribou et le petit vase. Paul régnait. En vain cherchait-elle un nouveau désir qui, même futile, l'aurait gratifiée d'un futur. Elle était débordée par son impatience comme un candidat qui n'aurait que quelques secondes pour lancer à l'examinateur une réponse acceptable. Elle décida de s'accorder une pause et de s'essayer pendant un moment à ne plus penser.

Elle s'immobilisa devant la glace de la salle de bains. Elle avait oublié le nom de cet homme qu'elle appelait l'ingénieur du musée Rodin quand elle l'évoquait, ce qui devenait assez fréquent. Elle admirait le corps qu'elle lui avait offert sans oser espérer qu'il se souvînt mieux d'elle qu'elle de lui. Elle avait gardé bonne impression de la vigueur avec laquelle il l'avait étreinte mais l'homme était confus dans sa mémoire, dépourvu de détails. Elle ne ressentait qu'une impression brutale, profondément reçue, qui la faisait profondément femelle. Elle s'accroupit sur le tapis de bain et devint *le Bain turc* à elle seule, ce qui n'est pas difficile puisque c'est la même femme qu'Ingres multiplie, ample des hanches, les seins copieux et le ventre bombé ; des cuisses faites pour s'ouvrir. Les siennes s'ouvrirent et elle laissa les doigts de sa voisine, qui étaient les siens, la caresser.

Mlle Beaunon et le sexe

Fillette, elle était contente d'en être une et de retenir le regard des hommes dans le métro. Mais ses relations avec eux avaient été freinées et infléchies par la nature et par l'état civil. A dix-sept ans elle en était encore à attendre ses premières règles. Sa sœur, savourant une supériorité, en avait fait la confidence au père ; quand celui-ci se considérait dépassé par une circonstance qui soulignait l'inconfort de sa situation d'adulte masculin vivant avec deux mineures il faisait appel à sa belle-sœur, la tante Claire. Elle mena en vain sa nièce chez deux gynécos et la conduisit à Lourdes. « Yvonne, tu vas te déshabiller, mettre le peignoir, descendre dans l'eau sainte et demander tes règles à la Vierge. — Ah ça, non ! » Claire qui savait à quelle densité d'entête-ment elle avait affaire avait décidé de payer de sa

personne et le bain, elle l'avait pris à la place de sa
nièce. L'après-midi elles avaient escaladé une monta-
gnette et au retour le miracle s'était produit. « Ne
parlons pas de miracle, avait décidé Claire qui se
voulait aussi prudente que le Vatican, c'est l'émotion et
la fatigue mais l'essentiel demeure : tu es réglée, ton
père sera bien content de nous. »

L'obstacle de l'état civil fut plus récalcitrant. Le nom
qu'elle portait lui infligeait une blessure constante. Elle
s'appelait Beaucon. Ce nom n'avait jamais dérangé
son père qui le faisait sonner triomphalement, ravi de se
présenter : « Victor Beaucon ! » Sous-entendu : qui dit
mieux ? Derrière les vingt volumes de l'Histoire des
voyages était dissimulé un enfer composé de livres
poussiéreux et copieusement illustrés dont l'examen
avait permis à la future Mlle Beaunon de saisir d'assez
près les ressources qu'offrait la rencontre des corps. Dès
qu'elle eut imaginé que son nom risquait d'inspirer à
son partenaire des plaisanteries sur son anatomie elle
avait pris la décision de n'accorder ses faveurs qu'à des
hommes ignorant cette tare jusqu'à ce qu'elle ait obtenu
du Conseil d'Etat une modification d'état civil. Elle
avait donc été entraînée à associer le mensonge à ses
aventures ; elle mentait sur son nom, sur son métier, sur
ses goûts. Quand, après une longue procédure où les
demi-sourires des gens de robe ne lui furent pas
épargnés, elle eut obtenu de renaître sous le nom de
Beaunon, elle avait déjà lié inextricablement le sexe et
la fable. Or celle-ci lui eût été intolérable dans ses
relations avec Paul, donc il fallait inventer pour lui un
compartiment dont le sexe était absent.

Elle n'avait jamais eu à se plaindre de rien, sauf de
son nom. Elle était satisfaite d'être une femme. Elle
aurait pu procréer et, si elle n'avait pas usé de ce

pouvoir, il lui avait plu de le détenir. Elle estimait qu'au lit sa part était la plus intéressante dans la mesure où elle était la plus subordonnée. Elle était le théâtre qu'elle prêtait à un homme ; il y pénétrait, jouait son rôle en s'inquiétant des résultats. Car la femme est à la fois le théâtre et le public ; elle est hôtesse mais bien placée pour juger du talent de son invité. Cet équilibre était en soi aphrodisiaque pour une personne comme elle prête à trouver un sortilège dans toute abstraction et elle l'éprouvait, renversée sur le tapis de bain.

— Excuse-moi, dit Yolande, je t'ai interrompue. Tu faisais du yoga ?

Mlle Beaunon se redressa et passa la robe de chambre que sa nièce lui tendait. Elle la passait avec mauvaise humeur. Après tout je suis chez moi et j'ai bien le droit de me savourer toute nue. Elle écarta le rideau et elles allèrent s'asseoir, Yolande au bord du lit, Mlle Beaunon dans le fauteuil. Elle avait allumé le petit cigare et buvait le thé qui était froid.

— Figure-toi que mon émir m'a prêté sa voiture et son chauffeur.

— Tu as un émir ?

— D'abord ce n'est pas exactement un émir mais il est important auprès de l'émir qui fréquente la chaîne.

— Une chaîne ?

— Notre chaîne d'hôtellerie. Les Artibel. Tu sais quand même que je travaille là ! Donc il m'a passé sa Rolls et son chauffeur pour me déposer à Paris. Le seul inconvénient c'est que la Rolls devait être à Roissy avant neuf heures, donc je débarque chez toi en avance. C'était génial de se balader en Rolls.

Malheureusement personne ne m'a vue. L'autoroute, dans le sens où nous allions, était presque déserte. A Paris je comptais sur les piétons, mais ils allaient au tiercé ou à la messe, ils étaient mal éveillés.

Sur le parquet Mlle Beaunon reconnut le sac de voyage Hermès qu'elle avait offert à Yolande pour ses dix-huit ans.

— Attends que je t'explique. Hier soir Lucien m'a téléphoné. Aujourd'hui il me présente à ses parents qui théoriquement acceptent le mariage !

— Le beau miracle ! Tu es jolie, il est quelconque, tu gagnes ta vie et pas lui et notre famille n'a rien à envier à la sienne.

Elle était dépourvue d'amour-propre comme d'esprit de famille et trop indifférente pour être susceptible. Or, face à la tribu de Lucien, sans doute parce qu'elle imaginait les parents sur le modèle du fils et que d'emblée elle avait éprouvé pour ce dernier l'une de ces haines vagues qui la prenaient parfois dans un train pour un inconnu assis en face d'elle, elle se faisait à ce point le défenseur de la gloire de son sang qu'elle s'écria :

— Tu oublies, Yolande, que tu es la petite-fille d'un des plus grands sculpteurs, et bien injustement oublié, de ce siècle.

— Je n'oublie rien du tout, tante, la meilleure preuve c'est que j'ai montré le coq à Lucien qui l'a trouvé très beau.

Jamais Yolande n'appelait « tante » sa tante. Elle était sans doute entraînée à ce langage par la crainte d'une querelle de famille. Obscurément elle cherchait à rappeler les liens qui les unissaient toutes les deux. Mlle Beaunon comprit cette involontaire leçon, se calma.

— Donc tu déjeunes avec eux, chez eux ? demanda-t-elle avec un sourire qui avait toutes les apparences de la gentillesse. Ça ne m'explique toujours
pas pourquoi tu t'es encombrée d'un sac de voyage.

— Le chauffeur de la Rolls avait son idée qu'il
espérait exécuter entre deux portières. Il croyait que
j'étais une pute à émirs, j'en suis certaine, j'ai mis un
pantalon et un blouson pour me défendre. Mais les
parents de Lucien...

— Oui. Pour des fiançailles, la jupe plissée.

Il est curieux, découvrit Mlle Beaunon, que le
pantalon soit une forteresse prude face à un chauffeur
d'émir, la petite jupe une preuve de décence aux yeux
d'une famille vigilante.

— Alors maintenant, conclut Yolande, je vais me
changer. Je n'ai pas dormi et j'ai une tête à faire peur,
je prends une douche et je me maquille un peu.

Yolande passa avec son sac dans la salle de bains.
Avait-elle été tenue éveillée par l'ardeur de son émir
ou la joie d'épouser Lucien ? Par les deux peut-être.
Mlle Beaunon l'admit sans difficulté ; habituée à ses
propres contradictions elle trouvait juste de ne pas
s'étonner de celles des autres, sans se douter que cette
lucidité impartiale était assez exceptionnelle. Tant
qu'elle tira sur son cigare elle conserva une humeur
nonchalante, égale, mais après l'avoir éteint elle se
heurta à une solitude accusée par la présence invisible
de Yolande qui s'agitait en multipliant les bruits
d'eau. Ignorant l'envie elle n'enviait pas les faciles
bonheurs de cette fille mais ils l'assombrissaient. Elle
se rappelait qu'elle n'avait toujours trouvé aucun
projet qui orientât les heures ou les jours à venir.

— Un bain au lieu d'une douche, je peux ?

— Evidemment.

Pieds nus elle marchait de long en large. Il faisait chaud et de l'autre côté de la baie le ciel qui était pur semblait glacé. Cette déambulation n'était pas désagréable en soi mais il eût été déraisonnable de la poursuivre interminablement. Au zoo où, autrefois, elle avait dragué, Mlle Beaunon avait vu des bêtes qui se promenaient de long en large du même pas et qui, un mois plus tard, continuaient. Elle eut peur en se comparant à elles et fut soulagée par un appel de Yolande.

— Tu ne m'as pas mis de serviette !

— Comment aurais-je deviné que tu arriverais si tôt ! Je t'en apporte une.

Allongée dans l'eau Yolande faillit se troubler et ne se troubla pas.

— Aujourd'hui je t'ai vue nue pour la première fois. Et toi aussi tu me vois pour la première fois. Quand j'étais petite ça ne compte pas.

— Et puis tu es montée dans une Rolls pour la première fois et tu vas te fiancer pour la première fois.

Yolande, sortie de la baignoire, se frictionnait. Son corps n'était pas capiteux mais il n'appelait aucun reproche sauf aux hanches qui saillaient un peu trop.

— Sa famille, dit-elle, est vieux jeu. Lucien pense qu'il faudra que je me marie en robe blanche. Je ne sais pas si c'est bien ou si c'est un peu ridicule.

— De quelle couleur était-elle la Rolls ?

— Blanche. Ah oui c'est vrai, elle était blanche elle aussi.

— Tu vois.

On dit volontiers « tu vois » quand il n'y a rien à voir. Cette formule n'a d'autre pouvoir que de dispenser la conversation de se poursuivre. En silence Yolande continuait de revêtir avec soin sa tenue de combat qui, pièce par pièce, sortait du sac et des housses protectrices. Enfin, vêtue d'une jupe bleue, d'un chemisier blanc, d'un pull saumon et tenant sur le bras une canadienne claire elle vira sur ses mocassins comme un mannequin.

— Comment me trouves-tu ?

Excédée Mlle Beaunon, après un effort, réussit à articuler :

— Parfaite.

L'autre insistait :

— Tu penses que je leur conviendrai ?

— J'en suis sûre.

Elle s'était retenue d'ajouter : et je m'en fous. Comme une bourrasque un remords la traversa. Il était monstrueux qu'elle ne partageât pas le bonheur d'un être qu'elle connaissait depuis sa naissance. Elle découvrait qu'elle s'était toujours fait un plaisir de trouver en cette fille, et parce qu'elle le cherchait, des motifs d'exaspération alors qu'il arrivait souvent à Yolande d'être gentille. Une scène lui revint de très loin mais fraîche comme une aquarelle, et précise. Toutes deux, alors que Yolande allait sur ses sept ans sortaient de l'église un dimanche matin, elles traversaient la place. Les feuillages étaient épais, bruissant d'insectes, assiégés par le soleil, au-delà des arbres le haut-parleur d'une voiture énumérait les gros lots d'une kermesse, Mlle Beaunon tenait par la main la petite fille, sage dans sa robe de coton aux infimes fleurettes ; pour parvenir à la pâtisserie, elles descendirent sur la chaussée et après l'avoir traversée franchirent le trottoir ; Yolande trébucha, sans la main qui la tenait elle serait tombée. Alors Mlle Beaunon avait découvert que l'enfant marchait les yeux fermés et, interrogée, un peu grondée, Yolande, les yeux toujours fermés, avait reconnu comme si rien n'était plus naturel que, depuis qu'elles étaient passées sur le parvis de l'église devant un aveugle accroupi, elle gardait les paupières serrées pour partager son sort. A ces mots Mlle Beaunon remuée au plus profond avait vu l'image rayonnante de la place s'embuer.

De nouveau son regard se troublait et quand elle prit Yolande dans ses bras elle laissa couler ses larmes.

— C'est à cause de mon mariage, balbutia Yolande, tu es trop contente ou tu es malheureuse ?

— C'est à cause de l'aveugle.

Elle finit par raconter et Yolande par rire. Pendant qu'elle racontait, l'émotion du récit s'ajoutant à celle du souvenir, elle ne pouvait se retenir de sangloter. L'éclat de rire brisa ce moment exceptionnel pendant lequel Mlle Beaunon s'était sentie bonne, avait senti les autres bons, s'était complu à constater sur la terre l'existence de la naïveté et de la générosité. Yolande se la rappelait très bien cette histoire d'aveugle. L'ayant lue dans un roman pour enfant où le héros, un petit garçon, tenait ses poings serrés sur ses yeux pour être pareil à la vieille dame aveugle, elle s'en était méthodiquement inspirée pour se rendre intéressante.

— Et je me rappelle même que tu m'as offert un cornet de chocolats.

Mlle Beaunon écoutait muette, les bras allongés le long du corps comme un soldat au garde-à-vous ; trois larmes froides séchaient sur ses joues.

— Le plus beau, poursuivit Yolande rieuse, c'est que j'avais eu le toupet de m'en vanter auprès de maman en prenant une mine contrite. Elle m'avait

répondu en haussant les épaules qu'on pouvait te faire
avaler n'importe quoi.

Cambrée par la révolte la tante regarda la nièce.
Elle protestait de tout son moi. N'ayant jamais
cherché à humilier personne elle considérait comme
une injustice qu'on s'entendît pour la rabaisser. Elle
retrouva le goût d'elle-même en s'offrant le plaisir
d'une colère méchante.

— Ça allait bien à ta mère, elle qui s'est fait avoir
par ton Suisse de père, et comment ! Qu'est-ce qu'il
ne lui a pas fait avaler ! Elle ne voulait pas te garder,
elle s'y est décidée parce qu'il lui avait promis le
mariage. Il n'a jamais tenu sa promesse et elle est
restée comme une chèvre attachée à son piquet.

Les yeux de Yolande étincelèrent. Elle défendait sa
mère.

— Papa lui a toujours versé une pension, elle ne
s'est pas fait avoir et il avait pris une assurance. Elle
peut vivre sans travailler, elle.

— Attachée à son piquet, conclut doucement
Mlle Beaunon.

Elle était calme et regrettait de s'être emportée.
Même à la réflexion il ne lui déplaisait pas qu'on la
crût mystifiable à merci puisqu'elle avait toujours
souhaité tromper les autres sur elle-même et qu'elle
était persuadée de n'avoir été dupée qu'une seule
fois, par cette petite fille à qui elle n'avait à se
reprocher que d'avoir donné un cornet de chocolats et
quelques larmes imméritées.

— A propos ta mère, reprit-elle d'un ton uni
comme si aucune querelle ne les avait opposées, tu
l'as prévenue de ce mariage, ta mère ?

— Pas encore.

— Téléphone-lui.

A son tour elle vibrait tribalement. Pourquoi les parents du garçon seraient-ils les premiers informés ? Puis elle raisonna vite et déduisit de l'attitude de Yolande que celle-ci n'était pas encore certaine des résultats de l'entrevue qui se préparait et qu'elle craignait, en cédant à la présomption, de perdre la face devant sa mère. Devant sa tante ça n'avait pas d'importance puisque la tante était sans importance.

— Je te proposais ça pour t'occuper parce qu'il est encore tôt.

— Il est dix heures, répondit Yolande d'un ton compétent. Tu sais ce que je vais faire ? Dormir un peu. Tu me réveilleras à onze heures et demie. J'ai une gueule à faire peur, il faut que je récupère.

Elle s'était allongée sur le lit et avait enfoncé son visage dans l'oreiller.

— Tu froisses ta jupe, retire-la, moi je vais faire ma toilette.

D'un geste qui lui était devenu habituel, pareil à celui qu'elle accomplissait dès qu'elle s'asseyait devant son bureau en soulevant la housse de sa machine à écrire, elle écarta la tenture et pénétra dans la salle de bains. Yolande était négligente par paresse, par manque d'imagination, par mépris des autres ; elle avait donc négligé de vider la baignoire. L'eau n'était pas encore froide, juste tiède, reposante dans l'air sec et surchauffé de l'appartement et d'un bleu crémeux qui avait été produit par le mélange du savon avec les poussières, les sueurs, les humeurs du corps de la jeune fille et sans doute un reliquat de la liqueur d'homme déversée par l'émir. Mlle Beaunon s'était plongée dans cette eau imprégnée par la présence d'un autre corps ; elle en éprouvait un peu de dégoût et beaucoup de plaisir. Dans la maison paternelle

régnait une baignoire de zinc haute sur pattes sous
laquelle s'allongeait une rampe à gaz ; la baignoire
remplie, le père se chargeait lui-même de l'exploit qui
consistait à faire courir une allumette enflammée sur
cette rampe jusqu'à ce que, après quelques brèves
explosions, le gaz qui s'échappait par de multiples
trous s'enflammât. Au bout d'une demi-heure l'eau
était chaude. Par souci d'économie ou peut-être pour
respecter un principe hérité de sa famille, le père
obligeait ses filles, lors du bain hebdomadaire, à
utiliser la même eau et quand l'une s'était baignée la
première, la semaine suivante c'était au tour de
l'autre. Bien qu'elle répugnât à tout contact physique
avec sa sœur qui le lui rendait bien (elles ne s'embras-
saient que le jour de l'an) elle savourait inexplicablement l'eau trouble où elle trempait tous les quinze
jours. A seize ans lui vint même l'idée, qui se révéla
irrésistible, de renchérir en faisant pipi dans son bain.
Elle regardait fascinée le jaune ruisseau qui s'enfuyait
dans l'eau grise et s'y dissolvait. Elle avait honte et
s'en délectait. Puis pendant qu'elle surveillait l'écoulement de l'eau à peine teintée elle dégustait la crainte
d'être surprise. C'était à cette époque que conscience
lui était venue de son amour de la gêne qui avait
culminé quand elle avait été obligée d'aborder avec
son père le problème posé par l'absence de ses règles
et surtout lorsque au retour de Lourdes la tante Claire
avait fait un retour triomphant à la maison en
s'écriant : « Elle les a ! »

Bref, Mlle Beaunon s'offrit une nouvelle fois le luxe
de faire pipi dans un bain et de sentir le flot chaud
courir entre ses cuisses. Mais finalement il fallait que
le net l'emportât et elle se doucha longuement.

Quand elle eut « donné un coup » dans la salle de

bains et la cuisine et nettoyé méticuleusement la baignoire elle entreprit de s'habiller en choisissant avec soin ses dessous et ses vêtements. Faute d'un projet de grande envergure elle avait décidé d'aller au musée du Louvre contempler *le Bain turc* et tenter sa chance. Elle retrouva Yolande profondément endormie, sa jupe bien pliée au pied du lit. Elle se remettait des fatigues de sa nuit avec une application enfantine ; elle ne suçait pas vraiment son pouce mais elle le gardait collé à sa lèvre inférieure comme une écolière. Le sommeil la rajeunissait, la puérilisait même, elle était virginale. Elle avait encore droit à cinq minutes de sommeil que Mlle Beaunon respecta en rêvassant, le regard sur sa montre. Yolande dormant couchée sur le côté elle montrait des fesses étroites moulées par le collant et Mlle Beaunon se demandait, ayant entendu parler de certaines tendances répandues dans les pays islamiques, si cet émir l'avait sodomisée. Mais elles n'auraient jamais de conversation assez libre pour permettre au sujet d'être abordé.

Elle découvrait qu'elle n'avait jamais parlé en toute liberté, en tout abandon avec personne. A ses amants de rencontre elle mentait ; dans les conversations de hasard qu'elle soutenait en autobus ou en métro elle fabulait aussi ; au bureau elle n'entretenait avec les dactylographes, la comptable, les magasiniers et les courtiers placés sous ses ordres que des rapports de service auxquels se mêlaient parfois quelques propos inutiles de pure routine relatifs à la météo ou à la santé. Elle avait eu avec Paul quelques entretiens un peu poussés à propos de synopsis dont il lui confiait la lecture mais ils ne parvenaient jamais à un domaine où leurs propres personnes auraient été concernées. Quand il avait, et bien rarement, ouvert le champ aux

confidences, par exemple en lui racontant ses relations avec le vase de cuivre, elle n'avait pas su
répondre par des confidences semblables. Quant à
son père, sa sœur, sa nièce, leurs échanges avec elle
avaient toujours été figés. Et ne parlons surtout pas
de la tante Claire. Les habitants de l'immeuble, les
commerçants du voisinage étaient des ombres, non
qu'elle les méprisât ou les négligeât mais elle les
considérait comme des entités représentant l'un la
vieillesse, l'autre la révolution et d'autres la vigilance
et la méfiance, ou le bonheur de vivre sincère ou
affecté. Mlle Beaunon était toute surprise de découvrir
si tard son emmurement. Elle était surtout surprise
par une évidence qui s'imposait à elle : le seul être
avec lequel elle aurait peut-être mené un libre dialogue était ce Gréard du musée Rodin dont le nom lui
était revenu comme, dans un songe, revient un visage
oublié. Avec trois minutes de retard elle éveilla
Yolande qui se dressa, se jeta sur ses pieds.

— Yvonne, s'écriait-elle, qu'est-ce qui t'a pris ? Tu
m'as laissée dormir des heures, tout est perdu. Tu l'as
fait exprès ?

Le plus fréquemment, pour s'adresser à sa tante,
elle employait « Yvonne » par tendresse ou par
colère, ce qui se passe dans les vieux couples avec
« mon chéri ».

Mlle Beaunon qui avait entrouvert des livres de la
collection Harlequin dont Yolande était une lectrice
assidue n'eut pas de peine à préciser le soupçon d'une
trahison qui était habituelle à cet univers imprimé.

— Rassure-toi, répondit-elle avec calme, je n'ai
pas cherché à saper ton bonheur. Je devais te secouer
à onze heures et demie et je suis exacte à deux
minutes près.

— Pardon mais je croyais avoir dormi une éternité.

Elle avait enfilé sa jupe et la faisait virer autour de sa taille pour mettre en place la fermeture éclair.

— Tu comprends, ç'aurait été un désastre. Les parents m'attendent. Je dois retrouver Lucien à midi en face de la gare du Nord, au tabac.

— Tiens, pourquoi ?

— Il est normal que nous arrivions ensemble chez ses parents. Je n'allais pas débarquer toute seule. Et le coup de la Rolls ne se raconte pas. Donc il croit que j'arrive normalement par le train. Je n'ai que le temps de me maquiller. Appelle-moi un taxi. Tu as le téléphone de la borne ?

— Oui mais le dimanche, quand je passe à la station, c'est rare que j'y voie un taxi.

— Appelle toujours, sinon je te donnerai des numéros de compagnies.

Elle disparut derrière le rideau, Mlle Beaunon appela et fut étonnée qu'on lui répondît. Elle passa dans la salle de bains pour rendre compte. Yolande était au travail.

— Tu comprends, expliqua-t-elle, il faut que je sois jolie, qu'ils soient fiers de leur belle-fille, donc de leur fils, mais d'un autre côté si mon maquillage se voit trop ça les choquera, alors ça me donne du mal, ça n'est pas évident.

— Dans trois minutes ton taxi sera là.

— Ne m'énerve pas.

Enfin Yolande disparut sur une dernière recommandation : le soir quand elle viendrait chercher sa valise, sans doute accompagnée de Lucien, cette valise il ne fallait pas oublier qu'elle l'avait laissée la semaine précédente attendu qu'aujourd'hui elle n'était pas venue.

— D'accord, dit Mlle Beaunon amusée qu'on vou-
lût lui apprendre à mentir.

Elle occupa la première heure de l'après-midi à de
menus travaux. Quand elle en vint à juger qu'elle
pouvait s'embarquer pour le Louvre elle commença à
se chercher des prétextes pour retarder son départ.
Elle avait déjà rangé ses « affaires d'été », elle
éprouva le besoin de déployer des housses de plastique et de refaire son travail selon un nouveau plan.
Puis elle se rappela qu'elle avait acheté une crème
destinée à entretenir la santé du cuir et entreprit
d'oindre une demi-douzaine de paires de souliers.
Elle n'était pas la dupe de ces besognes. Elle savait
qu'elle redoutait le Louvre et ne se demandait pas
pourquoi puisqu'elle ne s'interrogeait jamais sur elle-
même. Ou bien l'énigme demeurait stable — son
amour de la gêne, le plaisir de faire pipi dans le bain
— ou bien elle s'éclaircissait d'elle-même et par
étapes le Louvre s'éclaircit sans qu'elle eût besoin de
conduire l'enquête. Elle sut qu'elle était en état de
sensualité depuis qu'elle avait regardé son corps dans
la glace et qu'elle avait évoqué les femmes d'Ingres ;
cet état avait été interrompu par l'irruption de
Yolande ; puis toutes deux s'étaient vues nues pour la
première fois ; ensuite le bain, ensuite, devant les
formes de Yolande endormie la rêverie sur les caprices des émirs. Donc, au Louvre, elle ne serait que
désir. Elle pensa tout naturellement que si elle
appréhendait cette expédition c'est qu'elle craignait
que sa quête fût vaine et de rentrer bredouille,
déception qu'elle aurait en effet mal supportée. Mais
une autre explication se proposa et il lui fallut
l'accepter, malgré qu'elle en eût. Ce Gréard dont le
souvenir la visitait trop souvent bloquait l'élan de

curiosité lascive qui l'avait poussée vers le Louvre. Elle avait tout simplement peur de trahir cet homme, comme s'il y avait des liens entre eux, or jamais, depuis qu'elle s'adonnait et se limitait à des aventures brèves, elle n'avait été effleurée par ce besoin de fidélité. Peut-être Gréard plus que ces hommes de hasard avait-il le don d'inspirer confiance ; cette libre conversation dont elle avait été privée, peut-être lui avait-il donné l'impression qu'elle serait possible entre eux. C'était du moins ce qu'elle se disait pour éviter de penser ce qu'elle pensait à savoir que si elle s'était permis de s'attacher à cet homme c'était parce que Paul avait physiquement disparu. Supposition terrible qui sous-entendait que Mlle Beaunon admettrait de laisser Paul s'éloigner d'elle — ou plutôt qu'elle accepterait de s'éloigner de lui.

Elle tomba et demeura dans un morne désespoir dont l'arracha un brusque accès de bonheur. Puisqu'elle tenait pour certain qu'entre Gréard et elle les paroles s'échangeraient sans contrainte, il allait de soi qu'elle lui ferait partager Paul et que celui-ci vivrait entre eux et par eux. Après avoir craint une trahison elle découvrait au contraire une victoire de sa fidélité et de sa piété. Si elle mourait d'envie de revoir Gréard ce n'était pas tant pour faire l'amour avec lui ni pour, tout à coup lasse de sa solitude, s'assurer une compagnie mais parce qu'elle avait besoin d'un interlocuteur pour évoquer Paul et que Paul avait besoin d'un ami.

Elle se revit par un crépuscule vif et ardent, les bras encombrés par les victuailles achetées chez Debussy et déchirant en menus morceaux la feuille de calepin où Gréard avait noté son adresse. Les trottoirs et la chaussée étaient encore humides de pluie, l'air était transparent, les bouts de papier s'envolaient. Elle ne se laissa pas accabler par ce souvenir exaspérant. Au bureau elle avait la réputation d'être méthodique, elle le prouva en cherchant son petit Larousse et à la lettre G, Gravelines. Elle lut :

GRAVELINES (59820), ch.-l. de c. du Nord (arr. de Dunkerque), sur l'Aa ; 8 249 h. (7 803 aggl.) (*Gravelinois*). Filatures et tissages. Victoire espagnole sur les Français (1558).

La centrale nucléaire n'était pas signalée mais contrairement à ce Larousse elle était récente, donc rien d'anormal. Mlle Beaunon n'hésita pas à empoigner le téléphone et à appeler les renseignements. Interminablement la sonnerie se répéta sans résultat. Elle n'en fut même pas agacée, se laissant envoûter par la répétition du même son dérisoire à intervalles réguliers. Enfin une voix enregistrée lui annonça qu'elle était au centre de renseignements et la pria lorsqu'elle entendrait l'opérateur d'énoncer dans un ordre rituel les noms du département, de la ville, de la personne recherchée accompagnés si possible de l'adresse exacte. Au moment voulu elle annonça le Nord, fut aussitôt interrompue et après un bref bourdonnement il lui fallut expliquer qu'elle cherchait à Gravelines le numéro de téléphone d'un M. Gréard. Trente secondes plus tard elle apprenait que ce nom ne figurait pas parmi les abonnés au téléphone. Elle tenta d'expliquer qu'il travaillait pour une entreprise de recherches maritimes qui dépendait de la centrale nucléaire. L'opératrice était aimable, Mlle Beaunon dont le désarroi devenait extrême n'avait même pas la ressource de haïr cette inconnue qui fort gentiment lui donna le numéro du bureau des informations de la centrale nucléaire en ajoutant qu'il était fermé le dimanche mais qu'il ouvrirait le lendemain à neuf heures.

Elle s'interdit de téléphoner le lendemain, prenant la décision et sachant en même temps qu'elle ne la tiendrait pas. Ce n'est qu'un engouement, se disait-elle. Un détail parut lui démontrer le contraire. Lorsque Juaurez avait occupé le bureau de Paul, Mlle Beaunon, avec son assentiment, avait pris quelques livres qu'elle avait déposés dans son propre bureau sauf un, le *Dictionnaire des noms de lieux de France* par Dauzat qu'elle avait apporté chez elle et placé auprès du Larousse, parce que Paul y tenait à ce livre, qu'assez souvent il le feuilletait au hasard avec un intérêt évident. Or elle ne pouvait se retenir de chercher dans Dauzat les origines de Gravelines. Si peu experte qu'elle fût en sentiments amoureux elle distinguait fort bien dans cet insolite intérêt pour la toponymie un intérêt pour Gréard.

Inquiète elle regardait grandir cet amour comme un champignon et cherchait à détourner son attention sur un souvenir qui lui offrait des images. Elle était en Suisse, fin septembre, accompagnée de Yolande et le champignon orange croissait à vue d'œil sur une souche ; en s'élevant il prenait une forme. Au début il n'avait été qu'une tache de couleur qui ressemblait à un bout de pelure de mandarine d'où avait jailli un fût qui soutenait une coupole. Cette extraordinaire vitesse d'expansion n'avait pas étonné Yolande. « Quand on oublie le lait sur le feu il monte encore plus vite », avait-elle observé en esquissant des grimaces et en secouant sa queue de cheval. C'était l'époque où elle raffolait des grimaces surtout devant un miroir, portait une queue de cheval dont elle était fière et répondait à tout bout de champ : « Là n'est

pas la question. » Elle le répétait même quand sa
mère lui donnait le martinet car cette tradition
subsistait dans ce qui restait de la famille Beaucon. Le
martinet, que sur convocation du père la tante Claire
venait administrer à l'une ou l'autre des filles, datait
du grand-père et peut-être de l'arrière-grand-père ;
cette arme ancestrale bien effilochée terminait ses
exploits en Helvétie dans la seconde moitié du
xxe siècle. Mlle Beaunon tentait en vain de s'égarer.
Les images mouvantes du vieux martinet fauve, du
champignon orange, de la toute jeune queue de
cheval qui frétillait dans l'humidité du sous-bois vert
mentholé ne masquaient pas cette évidence formida-
ble : jamais elle n'avait eu l'idée de chercher dans le
Dauzat les origines de Lucé, le village où Paul avait sa
maison, alors qu'elle brûlait de connaître celles de
Gravelines. Jamais la vie privée de Paul ne lui avait
inspiré de curiosité, jamais elle n'avait été fascinée
par les objets qui lui étaient familiers. Il est vrai
qu'elle avait volé le vase de cuivre et enlevé Laocoon
mais ces désirs lui étaient venus de l'absence corpo-
relle de Paul et du besoin de se relier à lui par du
concret. Elle ne pouvait pourtant pas tolérer que
l'amour qu'elle portait à Gréard fût plus fort que celui
que Paul lui inspirait. Ne les avaient rapprochés,
Gréard et elle, qu'un désir passager né du désœuvre-
ment, une morosité commune, la crainte que la vie ne
leur eût glissé entre les doigts alors que Paul et elle
avaient été soudés par la réserve de leurs relations
quotidiennes, l'étendue de ce qui les séparait, le refus
tacite de s'exprimer. Ce nouvel amour n'était pas
comparable à l'éternel amour. Il était peut-être plus
obsédant mais il se perdait dans l'anecdote et la
puérilité. Elle se rassura, et comme on se permet un

enfantillage, elle s'offrit une gravelinerie et ouvrit le Dauzat.

GRAVELINES : cant. Nord (*Graveninga,* av. 1040) : nom d'homme germ. Graoine et suff. germ.-ing.

Elle savoura ces précisions qu'elle ne cherchait pas à comprendre avec un plaisir qui était maintenant sans mélange puisqu'il était entendu que Paul restait le Maître et qu'il était sans gravité qu'elle se donnât à Gréard et même qu'elle vécût avec lui. Elle se posa bien la question de savoir s'il avait toujours envie de la revoir mais dans l'immédiat se refusa à l'examiner. Le lendemain elle appellerait la centrale nucléaire. Dans l'immédiat ce fut le téléphone qui l'appela. Un instant elle crut au miracle et qu'elle allait reconnaître la voix de Gréard. C'eût été en effet un miracle puisqu'il ignorait son adresse et qu'elle lui avait donné un faux nom. Elle s'attendait donc à reconnaître la voix de Yolande pressée de lui confirmer ses fiançailles et peut-être chargée de l'inviter chez les futurs beaux-parents. Or la voix qu'elle trouva dans l'appareil sans lui être inconnue n'était pas identifiable d'emblée. Heureusement la correspondante finit par se nommer et Mlle Beaunon bien embarrassée se trouva embarquée dans une conversation avec Léone à qui elle n'avait rien à dire. Après avoir évoqué furtivement Paul elle serait demeurée coite si Léone n'avait pas meublé le silence en articulant posément :

— Dites, j'ai quelque chose à vous demander.

Elle s'était tue comme si elle attendait un encouragement. Il vint, à peine réticent.

— Bien sûr, si je peux, il s'agit de quoi ?

Alors d'un trait Léone exposa sa situation. Elle

était obligée de déménager pour habiter avec une amie dont le jules avait un chien qui mangeait les chats. Qu'allait devenir Agnès ? Mlle Beaunon parvint à se rappeler que le petit chat que Léone avait apporté dans un panier et laissé grimper sur le lit où gisait Paul s'appelait Agnès, mais elle ne voyait toujours pas en quoi elle était concernée par cette affaire. Elle comprit finalement que Léone s'était mis dans la tête de lui refiler l'animal. Impatientée, presque en colère, elle avançait déjà, et avec sécheresse, des prétextes pour refuser ce beau cadeau quand Léone déclara :

— Vous aimez beaucoup Paul et je suis sûre que Paul voit et aime Agnès.

Cette phrase fut décisive. En employant le présent de l'indicatif à propos de Paul, Léone avait ensorcelé Mlle Beaunon. Dans l'instant qui suivit elle céda, Léone ne marqua aucune surprise d'un succès si facile et annonça qu'elle passerait deux heures plus tard pour apporter Agnès. A peine avait-elle raccroché, Mlle Beaunon regrettait déjà d'avoir dit oui mais ne songeait nullement à se dédire ; elle ne donnait jamais sa parole mais la tenait toujours.

— Un chat, dit-elle à haute voix, me voilà affublée d'un chat maintenant...

Elle éprouvait la certitude d'être pour la première fois de sa vie dépassée par les événements. Certitude déplaisante mais intéressante parce qu'elle était nouvelle et imprévisible. Une préoccupation en chassant une autre elle ne se demandait plus sous quel prétexte elle téléphonerait à Gréard mais comment, compliquée par la présence d'un animal, sa vie quotidienne s'organiserait. A la télévision elle avait été intéressée par une chatte sauvage qui vivait dans une forêt des

Vosges, seule ou dans la fugitive compagnie d'un mâle dont le départ précédait de peu l'apparition de chatons qui ne tardaient guère à partir à l'aventure laissant leur ancienne mère maîtresse souveraine de son territoire. En revanche elle ne s'était jamais intéressée aux chats urbains, à peine avait-elle remarqué qu'ils existaient. Quand elle était petite elle avait été surprise par des colères de son père qui, lorsque des chats se hasardaient à proximité des coqs, se précipitait vociférant et faisant semblant de jeter des pierres bien que les chats et les coqs voisinassent en bonne indifférence. La haine, fût-elle simulée, que son père manifestait pour les chats aurait pu la disposer à les aimer si 1) la théorie selon laquelle on aime ou on déteste par réaction était prouvée 2) elle avait haï ou méprisé sérieusement son père ce dont elle doutait depuis qu'elle avait médité les confidences de Paul. Au bout du compte elle n'éprouvait aucun sentiment pour les chats et leur présence constituait pour elle une absence. Elle aurait même préféré que Léone lui apportât une tortue qu'elle aurait pu loger dans un panier, enveloppée de feuilles de salade.

Se connaissant mal elle était toujours étonnée d'en découvrir sur elle-même. Elle découvrait qu'au bureau elle était ferme et d'une autorité mesurée mais décisive ; si Léone l'avait appelée au bureau pour lui proposer l'animal, Mlle Beaunon aurait refusé carrément ; chez elle, pourquoi chez elle se montrait-elle aussi lamentablement complaisante ? Car il était bien évident que si elle avait embauché Yolande dans son secrétariat, au bout d'un mois elle l'aurait virée, alors qu'à la maison elle tolérait infiniment l'égoïsme agressif de la jeune fille. C'était un cas de dédouble-

ment qui la laissait aussi perplexe que le débarquement d'un chat dans cet appartement. Un instant elle
trouva une nouvelle preuve de l'égoïsme de Yolande
dans la désinvolture avec laquelle, parce qu'elle se
mariait, celle-ci l'encombrait de son chat. Elle dut
reconnaître que la coupable n'était pas Yolande mais
Léone. De cette confusion elle déduisit qu'elle ne
pourrait jamais arriver à aimer Yolande, ce qui ne lui
apprenait rien. Elle en déduisit aussi que son esprit
était troublé. La rapidité et l'importance du coup de
téléphone qui venait d'avoir lieu l'avaient enivrée ;
elle retrouvait l'état flottant où, quand au bureau on
fêtait un mariage, une naissance, une décoration, une
mise à la retraite, la mettait un doigt de champagne
ou de frontignan. N'étant pas disposée à se permettre
des défaillances elle résolut d'agir et, comme elle
n'avait rien à faire, elle trouva dans la venue de Léone
un prétexte pour nettoyer, récurer et encaustiquer à
fond, et se précipita à l'ouvrage.

Au bout de deux heures les petits animaux étaient,
comme elle l'estima, en empruntant cette expression
au vocabulaire de son père, nets comme torchette et
le parquet de chêne rivalisait d'éclat avec la table de
noyer. Laocoon avait été tant fourbi par Mme Tiffauge
qu'il ne pouvait luire davantage mais le vase de cuivre
jetait des éclairs ; quant au caribou, par dévotion, elle
se garda de le frictionner, se bornant à souffler sur ses
reins une poussière assez imaginaire. Les vitres de la
baie avaient gagné une nouvelle transparence qui
donnait un peu d'ardeur à un ciel sans soleil. Alors
elle fut prise de panique se reprochant de n'avoir pas
encore prévu le plateau de thé. Affolée elle chercha
dans le réfrigérateur un paquet de galettes qui était
précis dans sa mémoire mais restait introuvable. Elle

se rappela enfin que pour le protéger contre l'avidité de cette garce de Yolande elle l'avait caché dans un des placards de la cuisine derrière une provision de détergents. Enfin tout fut prêt. Il ne restait plus qu'à attendre.

C'était la première fois qu'elle attendait avec effroi. Quand, au bureau, elle guettait l'arrivée de Paul c'était avec une impatience qui espérait. Si elle attendait une rame de métro, elle regardait les visages des êtres qui l'entouraient et se demandait au cas où la conversation se serait engagée quelle version elle leur donnerait d'elle. Qu'elle attendît Yolande, elle se disait que plus tard elle arriverait mieux ça vaudrait. En cet instant, après l'effort manuel et précis qu'elle avait fourni, l'attente était écrasante. Ce qu'elle attendait dans le vide c'était l'arrivée d'une femme qui lui apportait un monstre dont elle n'aurait plus le droit de se séparer. Elle essayait de faire tourner son cerveau parce que l'absence de toute pensée la déconcertait. Elle tomba enfin sur un filon en se demandant quel prétexte de dernière minute elle pourrait bien invoquer pour échapper à cette charge absurde. En le cherchant, ce prétexte, elle savait qu'elle ne le trouverait pas. Donc cette quête l'occupait à peine.

Le coup de sonnette la fit bondir comme une explosion. Elle marcha vers la porte avec terreur, à petits pas, et elle ouvrit comme on se jette à l'eau. Elle reçut de Léone un baiser sur la joue qu'elle ne songea pas à rendre. Elle s'effaça sans parvenir à prononcer un mot devant cette visiteuse foudroyante qui pénétrait dans la pièce, tout essoufflée, portant un panier d'osier et un sac poubelle rebondi. Elle posa le

panier au petit bonheur puis, chargée du seul sac, elle
chercha du regard avant de demander :

— Où est la cuisine ?

Mlle Beaunon souleva la tenture, elles traversèrent
la salle de bains et dès qu'elle découvrit la cuisine,
Léone s'agenouilla et vida son sac d'où sortirent un
bac de plastique rose et un paquet de litière pour
chats. Elle vida un peu de sable dans le bac puis
plongeant de nouveau dans le sac poubelle elle en tira
quatre boîtes de conserve et une coupe d'opaline.

— Elle finira par la casser, c'est sûr, mais elle y est
habituée, alors qu'elle la garde le plus longtemps
possible. Je vais la remplir d'eau... N'oubliez pas de
lui changer son eau tous les deux jours même si elle a
bu très peu.

Mlle Beaunon suivait. Elle s'abandonnait aux circonstances. Elle regarda Léone ouvrir le panier. Le
petit chat était plus grand et plus gros qu'elle n'aurait
cru. Il se souleva puis se tapit de nouveau dans l'osier.

— Elle s'appelle Agnès.

— Oui.

— Elle est gentille, vous verrez.

Mlle Beaunon se demandait si les instants qu'elle
vivait n'étaient pas les plus accablants de son existence. Presque en même temps elle se convainquit
qu'elle était punie par l'arrivée d'un animal réel de
l'obstination avec laquelle, sans raison apparente, elle
avait poursuivi une collection d'objets qui étaient des
images d'animaux.

Les oreilles de cet animal étaient transparentes
comme les *grains de café*. L'un des rares souvenirs
que Mlle Beaunon avait gardés de sa mère était le
suivant : sur la plage (quelle plage ?) sa sœur et elle
étaient envoyées, chargées d'une mission qu'elles

prenaient au sérieux, celle de chercher certains coquillages abandonnés dans les graviers aréneux. Leur mère était particulièrement friande de lambeaux nacrés et transparents qui, son but étant, grâce à la tutelle d'un fil de laiton, de créer d'artificielles fleurs, figuraient les pétales épanouis autour d'un pistil composé de *grains de café*, on disait aussi poings fermés, minuscules coquillages, à peine aussi volumineux que deux petits pois réunis qui avaient la couleur de la chair et une sourde transparence. La lumière fatiguée qui baignait la pièce était semblable à celle qui, dans tous les souvenirs d'enfance de Mlle Beaunon, éclairait la grève. Les oreilles de cet animal inconnu elle aurait pu les trouver entre un os de seiche et une algue presque desséchée sur les mortellement ennuyeuses plages de son enfance. Du coup l'animal en question devint moins redoutable et plus lancinant. Il était triste comme peut l'être la mémoire.

Léone expliquait qu'Agnès avait été perturbée par son transport dans le panier mais qu'elle ne tarderait pas à retrouver sa bonne humeur, si tant est, observat-elle, qu'un chat puisse être gai. Elle la souleva et confirma le diagnostic qu'elle avait porté.

— Oui, elle est encore émue. Son cœur bat.

— Son cœur !

Léone avait remarqué la surprise de Mlle Beaunon et sa perplexité. N'en trouvant pas la cause elle hasarda un regard interrogatif.

— C'est bête sûrement mais je n'avais jamais pensé que les chats pouvaient avoir un cœur, comme nous.

Léone sourit avec élan comme si elle cherchait à prendre cette déclaration pour un trait d'esprit mais son interlocutrice n'en resta pas là.

— Mais alors tous les animaux auraient un cœur...
même les oiseaux ?

— Ecoutez ! Vous avez sûrement mangé des cœurs
de volaille ?

— Alors les poissons auraient un cœur ?

— Je suppose, oui...

— Mais les tortues, les crapauds, les serpents tout
de même pas.

— Je n'en suis pas certaine mais somme toute
pourquoi n'en auraient-ils pas ?

— Et une mouche ! Vous n'allez tout de même pas
me dire qu'une mouche a un cœur.

— Une mouche non. Je n'ai pas l'impression
qu'une mouche puisse avoir un cœur, ni un escargot ni
une huître.

Pendant que Mlle Beaunon digérait ces nouvelles,
Léone avait soulevé Agnès et l'avait posée sur le
parquet. La chatte se coucha en rentrant ses pattes
sous elle puis ferma les yeux comme si elle ne voulait
pas en savoir davantage.

— Elle s'habituera très vite, dit Léone. Elle est
douce. Vous n'aurez aucun mal avec elle. Changez-lui
son sable tous les deux jours.

— Vous prendrez bien une tasse de thé.

Alors qu'elle n'était que panique et désarroi
Mlle Beaunon n'avait pas eu à se forcer pour formuler
cette invitation, elle avait laissé fonctionner un auto-
matisme.

— Merci, c'est très gentil à vous mais l'amie qui me
conduit m'attend en double file dans la rue.

Elle reprit aussitôt, craignant sans doute d'expédier
un peu trop cavalièrement sa visite :

— Mais fumons une cigarette, ça me fait plaisir de

bavarder avec vous. Toutes les deux nous connaissons si bien Paul.

— Je ne fume pas mais asseyez-vous.

Mlle Beaunon désigna un fauteuil à Léone, lui donna un cendrier et s'assit sur le bord du lit.

— Depuis qu'il n'y est plus, est-ce que le bureau n'a pas trop changé ? Vous entendez-vous bien avec Guy Juaurez ?

Mlle Beaunon réfléchit avant de répondre bien qu'elle jugeât la question de pure forme. Elle ne pardonnait pas à Juaurez d'être assis dans le fauteuil de Paul. C'était son grief principal. A part ça il la brusquait parfois mais par distraction sans intention mauvaise. Il était plus méthodique que Paul et la déchargeait de multiples soins auxquels depuis long-temps elle était habituée. Elle aimait que de temps en temps il laissât échapper : « Je me demande ce que Bâche ferait à ma place. » Il ne disait jamais Paul mais quelquefois Paul Bâche. Et grâce à lui elle évitait Courtelaine.

Il ne restait plus qu'une ou deux minutes pour trouver moyen d'esquiver la charge de cette Agnès.

— Ce chat, dit-elle, doit vous être très attaché, il va être malheureux avec moi.

— Je la laissais souvent seule pendant une semaine, la concierge et des amis venaient la voir. Elle s'est habituée à des visages nouveaux. Je pense qu'elle m'oubliera plus vite que je ne l'oublierai.

— Mais enfin s'il se trouve que nous ne nous entendons pas pourrez-vous la reprendre ?

— Dans l'immédiat non, peut-être plus tard.

— Je serai peut-être alors obligée de la refiler à qui en voudra.

— Surtout pas, je vous en supplie ! Cette chatte est

vouée à Paul ; auprès de moi elle était auprès de lui, auprès de vous elle le sera toujours.

Cette réponse anéantit l'offensive de Mlle Beaunon. La chatte devint le caribou. Elle l'accepta et se reprocha même de manquer d'enthousiasme.

Léone ayant soigneusement écrasé sa cigarette dans le cendrier, se leva et Mlle Beaunon se décida à l'examiner. La jeune femme, depuis l'époque où elle passait souvent au bureau, avait changé, s'était un peu épaissie, ses cheveux et ses yeux avaient perdu de leur éclat mais elle conservait, vêtue d'un pantalon de velours noir et d'une superposition de pulls de grosse laine, sa caractéristique fondamentale qui tenait aux couleurs de ses yeux, de sa peau et de ses cheveux, une rencontre de bleu, de rose et de blond. Dans le panier elle se pencha pour montrer un carnet, une brosse et une pelle.

— C'est son carnet de vaccination, expliqua-t-elle rapidement, il faut la brosser toutes les semaines et la pelle c'est pour ses excréments. Les chats ont toujours besoin d'une litière propre.

Déjà elle filait vers la porte. Visiblement elle ne soupçonnait pas qu'il y avait eu combat et qu'elle remportait une seconde victoire. Elle avait vaincu sans le faire exprès, en toute ignorance de cause, par hasard ou par chance, encore qu'il y eût dans son regard une expression de lassitude déserte qu'on trouve souvent chez ceux qui ont renoncé de croire en leur chance. A la porte elle embrassa de nouveau Mlle Beaunon. Toutes deux se retournèrent vers la chatte toujours couchée sur le parquet. A peine avait-elle tourné la tête vers elles. Léone fit un pas vers la petite bête.

— Non, chuchota-t-elle, si je vais la caresser je ne pourrai plus.

La brillance de ses joues témoignait d'une lente fuite de larmes. Elle ne se décidait ni à revenir vers Agnès ni à partir. Son regard erra. Elle reconnut l'obscurité lumineuse de Laocoon.

— Vous l'avez joliment bien astiqué, dit-elle.

— C'est vrai, balbutia Mlle Beaunon en se rappelant tardivement à qui elle devait ce don. Je vous remercie encore.

— Et ce tapis de prière est bien beau. Il est caucasien ? Ma mère avait un tapis de prière du Caucase qui avait appartenu à Mme Joseph Caillaux. Elle collectionnait surtout les objets qui avaient appartenu à des artistes, mais elle tenait Mme Caillaux — vous vous rappelez, cette dame qui a tué le directeur du *Figaro* avec un petit revolver à crosse de nacre — elle la tenait pour une tragédienne et elle avait acquis plusieurs objets qui venaient de chez elle. Mais je vous retarde. La semaine prochaine je vous appellerai.

La porte s'étant refermée, Mlle Beaunon dans un premier instant se heurta au regret de n'avoir pas mieux vanté son tapis en récitant sa description qu'elle savait par cœur : tapis de prière à fond vert tilleul ; le mihrab framboise s'orne de paysages « mezarlik » multicolores ; bordure principale, un mètre trente sur un mètre. Puis elle se rappela qu'elle n'était pas seule, qu'elle était tombée prisonnière d'un chat. Elle eut le courage de marcher vers lui mais n'osa pas le toucher. Sa fourrure était d'un rose clair qui n'avait osé virer ni à l'orange ni au beige et évoquait la chair d'une truite saumonée. Elle se demanda comment une telle comparaison avait pu lui

venir à l'esprit, non pas que celle-ci fût inexacte du
point de vue des couleurs. C'était par la différence des
matières qu'elle péchait. La chair d'une truite est
lisse, alors que la fourrure de ce chat était floconneuse
et que moustaches et oreilles s'échappaient d'un
nuage épais. Mlle Beaunon décida qu'une couleur
n'était pas libre : non seulement elle avait besoin d'un
support pour exister, mais deux roses n'étaient pas
semblables si l'un était verni et l'autre duveteux. La
matière était essentielle et la couleur lui devait son
existence, mieux elle lui devait son caractère, et le
même rouge quand il était possédé par le drap et par
le cachemire n'était pas le même rouge. Phénoméno-
logiste sans avoir entendu parler de Husserl
Mlle Beaunon en toute innocence, compliquait sa
théorie des essences.

A l'improviste le chat s'était levé sur ses quatre
pattes, avait arqué le dos, bâillé et tourné la tête vers
cette créature intimidée qui se tenait à quelques pas,
très grande et déjà prête à battre en retraite.

Toutes deux se regardèrent dans les yeux. C'était la
première fois qu'elle voyait les yeux de cet animal ; ils
étaient bleu marine comme l'océan vu à travers le
hublot d'un avion ; au centre s'allongeait une tache
ovale, une tache d'or. Le silence en se prolongeant
devenait une épreuve.

— Agnès...

Sans répondre Agnès se mit en marche à pas
comptés, elle fit le tour du fauteuil, sauta sur un bras,
en descendit aussi vite pour passer à l'examen du lit.
Elle continua son inspection en visitant la cuisine et la
salle de bains puis revint dans la grande pièce et se
dirigea vers la porte du palier sous laquelle elle
renifla. Peut-être souhaitait-elle s'en aller pour courir

à la recherche de Léone. Pourtant elle revint sur ses
pas et sans préavis, après avoir considéré le piédestal
qui soutenait le caribou, le vase et Laocoon, elle sauta
sur la table où elle bouscula l'éléphant thaïlandais
avant d'assurer son équilibre en posant une patte sur
la tortue. Sans rien renverser, elle traversa le zoo et
après une hésitation pendant laquelle elle semblait
peser le pour et le contre, elle sauta sur le parquet et
se retourna pour planter sur Mlle Beaunon son regard
bleu marine.

— Tu as peut-être faim ?

Toutes deux se rendirent dans la cuisine où
Mlle Beaunon ouvrit l'une des quatre boîtes laissées
par Léone. Elle regrettait de ne pas avoir pensé à
demander quelle quantité convenait au régime
d'Agnès. A tout hasard elle enfonça une cuillère à
café dans cette pâtée rousse et odoriférante et la versa
dans une petite assiette. Agnès approcha son museau,
huma, détourna la tête d'un air dégoûté puis en
quelques secondes dévora sa ration. L'assiette était
vide et elle la léchait. Une nouvelle cuillerée fut
l'objet d'un examen aussi circonspect puis disparut
aussi rapidement. Sur les flancs de la boîte Mlle Beaunon cherchait en vain une précision sur la dose
quotidienne qu'il était convenable de proposer. Après
avoir craint devant les mines de sa pensionnaire que
celle-ci, pour protester contre son exil, n'entreprît
une grève de la faim, elle se demandait si le chagrin ne
l'avait pas rendue boulimique ; il était arrivé plusieurs
fois que, pour quelque contrariété sentimentale, des
dactylos se missent à dévorer et s'alourdissent en deux
semaines de cinq kilos. Dans l'incertitude elle décida
d'appeler Mme Broussais, la seule locataire de l'immeuble dont elle détînt le numéro de téléphone ;

depuis toujours Mme Broussais vivait avec un ou deux
chats qui avaient dû se renouveler au cours des
décennies. La sonnerie retentit un bon moment avant
d'aboutir à une voix que Mlle Beaunon accueillit avec
un soupir de soulagement, comme si elle échappait à
un péril. Cette dame était inépuisablement bavarde,
ou plutôt loquace. Au lieu de répondre aussitôt à la
question qui lui était posée, elle entreprit un historique. Combien de fois avait-elle proposé des chatons à
Mlle Beaunon, combien de fois celle-ci les avait-elle
refusés. A la fin elle entra dans le vif du sujet,
demanda la marque de la pâtée pour, renseignée,
déclarer que la marque ne faisait rien à l'affaire
attendu que les fabricants collaient à peu près tous la
même mixture dans leur boîte.

— Notez, ajouta-t-elle, qu'ils sont tout de même
obligés de faire attention avec les chats, car les chiens
voyez-vous bouffent n'importe quoi alors que les
chats pas du tout. Il faut que l'aliment leur plaise par
sa consistance et son parfum. Alors messieurs les
industriels sont bien obligés d'être aux petits soins
non par amour des chats mais par amour du profit. Le
capitalisme, pour nous exploiter n'est jamais à court
d'astuces, etc.

Communiste elle parvenait sans difficultés apparentes à infléchir tout propos fût-il météorologique vers
une morale politique. A bout de souffle, elle consentit
à fournir un renseignement précis : une boîte suffisait
pour deux jours. Elle conseilla à son élève d'alterner
les conserves avec de la viande hachée ou coupée en
petits morceaux, et crue de préférence. De temps en
temps un peu de foie de bœuf encore que l'accueil en
fût imprévisible, certains chats en raffolant jusqu'à
perdre la tête, d'autres étant prêts à se laisser mourir

de faim plutôt que d'absorber la moindre bribe de cette chair. Et surtout ne pas oublier d'écraser dans la viande des légumes cuits, haricots verts, poireaux, carottes encore que les chats n'assimilassent guère la vitamine des carottes. Après avoir promis de rendre bientôt visite au petit trésor, elle consentit à raccrocher et Mlle Beaunon put déverser dans l'assiette la moitié de la pâtée. Après avoir renouvelé ses précautions d'usage, Agnès l'engloutit. Au bout d'une minute elle suspendit son repas et, la queue droite comme un cierge, s'éloigna.

Assise près du lit, elle s'était lancée dans une toilette minutieuse, léchant avec acharnement une patte qu'elle tenait toute raide devant elle comme une béquille. Elle ne s'interrompait que pour se pourlécher les babines. L'irruption de Yolande escortée par Lucien fut bruyante. Du moins fit-elle sursauter Mlle Beaunon qui avait oublié l'existence de sa nièce. Ahurie elle adressa à chacun le même signe de tête mais Lucien s'avança avec une énergie qui ne lui était pas habituelle et l'embrassa sur les joues avant de réciter :

— Considérez-moi comme de la famille, les fiançailles sont conclues.

Mlle Beaunon s'acquitta de la corvée que lui imposait la circonstance ; elle rendit le baiser à Lucien, elle embrassa Yolande, elle prononça quelques vœux de bonheur si classiques qu'ils s'écoulaient de sa bouche sans qu'elle eût à les chercher, sans même qu'elle les entendît. Aussi mécaniquement elle les invita à s'asseoir et à finir avec elle un fond de porto « pour fêter ça », lança-t-elle d'une voix qui ne parvenait pas à l'enthousiasme. Du regard elle cherchait Agnès qui avait disparu.

— Une autre fois, trancha Yolande. D'ailleurs les parents de Lucien souhaitent t'avoir bientôt à déjeuner. Mais ce soir nous sommes pressés, Lucien m'invite à dîner et à danser. Nous irons au Palace. Je n'ai que le temps de me changer. La semaine dernière tu te rappelles que j'avais laissé ma petite tenue de cuir...

Elle avait insisté sur « la semaine dernière », craignant que cette tante trop innocente gaffât en oubliant les recommandations qui lui avaient été faites le matin.

— Mais pourquoi te changer ?

— Je te dis que nous allons au Palace ! Et nous finirons la nuit chez des copains. Je ne repasserai pas ici.

Lucien prit à l'égard de Mlle Beaunon les précautions que nécessite une demeurée :

— Vous comprenez, Yolande est habillée trop sagement. Pour mes parents c'était parfait, mais au Palace, elle se sentirait bébête.

Il avait prononcé « vous comprenez » sur le ton de « vous ne pouvez pas comprendre ». Quant à Yolande, qui s'était débarrassée de la jupe, elle vira devant eux sans se presser en annonçant qu'elle préférait l'accrocher à un cintre ; elle se dirigea d'une démarche étudiée vers la salle de bains, offrant en spectacle des fesses que le collant plus que transparent ne vêtait pas, se bornant à les ambrer. Depuis des mois, Mlle Beaunon prêtait son lit à ce couple dont elle ne pouvait pas ignorer les ébats, mais ce sous-entendu était pour la première fois brutalisé par la quasi-nudité de Yolande devant Lucien qui avait pris un air faraud et modeste en regardant le parquet. Sans doute Yolande fut-elle sensible à ce que son numéro avait d'excessif quand elle réapparut de face, montrant grâce à la limpidité du tissu un pubis crépu, car elle se hâta de se retourner pour enfiler le pantalon. C'était pourtant de dos qu'elle remuait le plus Mlle Beaunon depuis que, le matin, elle avait imaginé le traitement que l'émir imposait à la jeune fille, et souhaité le subir de Gréard.

Ayant fini de s'habiller, Yolande souleva le rideau pour s'inspecter dans la glace de la salle de bains. Ils l'entendirent hurler. Elle réapparut essoufflée comme si elle avait couru, derrière elle Agnès s'avançait à pas comptés.

— Un chat !

— Oui, un chat. Il ne va pas te manger.

— Mais enfin tu le sais que Lucien est allergique aux poils de chat.

Elle crut se rappeler que Yolande lui avait tenu en effet un propos de ce genre qui n'avait pas retenu son attention. D'une voix ferme, elle leur annonça qu'allergie ou pas, elle garderait Agnès qui avait appartenu à l'un de ses plus proches amis.

— Il faut que tu choisisses entre cette bête et nous.

— J'ai promis de la garder, pour le moment je la garde.

Agnès s'était assise et les dévisageait tous trois avec une légère curiosité. La colère enflammait les joues de Yolande. Lucien, embarrassé, chercha un terrain d'entente. Il était allergique aux poils de chat, c'était vrai, plutôt ç'avait été vrai dans son enfance. Peut être ne risquait-il plus rien maintenant. D'ailleurs les signes d'allergie qu'il avait manifestés étaient bénins : quelques éternuements. Yolande restait intraitable.

— Cette bête ou nous, tu choisis. C'est scandaleux que tu hésites. Je te laisse quand même réfléchir.

Elle se dirigea vers la porte sans autre adieu. Lucien s'approcha de Mlle Beaunon et, comme un enfant, lui offrit sa joue qu'elle effleura à peine de ses lèvres, retrouvant le geste précautionneux qu'au catéchisme elle avait souvent accompli en baisant le crucifix, soucieuse de respecter les recommandations de la tante Claire que cette procession de bouches enfantines sur le métal inquiétait « eu égard aux vilains microbes ».

La porte à peine refermée, Agnès bondit et commença de parcourir la pièce au galop en tous sens. Elle était charmée du départ de ses ennemis, du moins Mlle Beaunon interprétait-elle ainsi cette course enthousiaste.

Une heure plus tard elle s'affairait à la recherche d'Agnès. En vain se mit-elle à quatre pattes, se hissa-t-elle sur des chaises... Elle perdait un peu la tête et fouillait des recoins qu'elle avait déjà scrutés. Enfin la porte à peine entrebâillée d'un placard l'orienta, elle ouvrit et se trouva nez à nez avec Agnès, blottie sur une pile de draps. Leurs visages étaient à la même hauteur, et Mlle Beaunon put contempler celui d'Agnès. surprise qu'un chat possédât comme elle des yeux, des oreilles, une bouche, un nez. Malgré les images que la télévision lui avait si souvent proposées, elle n'avait jamais été frappée par les ressemblances des autres mammifères et de l'être humain, en étant restée, pour ce qui concernait l'animalité, aux coqs paternels qui ne savaient que brandir des becs, et en guise d'yeux vous fixer de leurs lentilles. D'où son émotion devant un visage qui, au velu près, était celui d'une jeune fille. Mais ce visage se détourna lentement, par chagrin semblait-il. Elle pense à Léone, à son ancienne maison.

— Agnès !

D'abord celle-ci ne broncha pas, mais au bout d'une vingtaine de secondes, elle tourna de nouveau la tête vers sa geôlière.

— Je ne suis pas ta geôlière, Agnès. Tu vois, je sais ton nom. Tu es toujours toi. Tu n'es pas perdue.

Elle fut émue, jusqu'au bord des larmes, par la bonté qu'elle avait entendue dans sa propre voix, et pour la première fois de sa vie.

Journal de Gréard

Si j'en crois la légende familiale, je naquis à dix heures du soir. Dans trois minutes donc, j'aurai atteint l'âge de cinquante-deux ans. On passe une vie sans se douter que l'amour existe. Il me semble que c'était mon cas. Je ne me suis décidé à aimer que le mois dernier.

Ces notes ont les apparences d'un journal. Un journal est une entreprise assez imbécile, puisqu'elle postule qu'on se raconte à soi des choses qu'on connaît. Je n'ai pas à m'informer de mon âge, je le sais. Que ce soit aujourd'hui mon anniversaire, je n'en ignore rien. J'aime et ne le vois que trop.

L'amour rend bête et attentif. J'ai passé l'après-midi à reconstituer minute par minute et vainement les trois heures trois quarts que j'avais passées avec Ghislaine de Beaumont. La police dessine des portraits robots. Je dessine sans plus d'esprit qu'elle des esquisses de Ghislaine que je froisse l'une après l'autre.

Au moral, je suis édifié sur elle : droite, brutale et polie, rigoureuse et libre, elle est parfaite. En outre, elle est sensuelle. Helena manquait de sensualité, clitoridienne mécanique. J'avais compté : 220 à 280 rotations de l'index relayé par le médium, ou des deux réunis, après 230, quand on commence à désespérer. J'ai honte, à propos de Ghislaine, d'évoquer Helena, mon ancienne femme. Notre divorce est légal depuis huit jours. Toujours le ridicule d'un journal : je suis en train de m'apprendre qu'une femme qui a été ma femme pendant trente ans se nomme Helena. Je l'ai appelée assez vite Lena, et dès la naissance de Philippe, elle m'a appelé papa, du moins devant lui. Etre appelé papa et pourtant obligé d'exécuter les deux ou trois cents rotations de l'index et du médium fut mon sort. Il est vrai qu'au bout d'une dizaine d'années, pendant le trimestre où Philippe fit sa première communion, l'habitude de ces cérémonies se perdit. Helena m'aura écrasé sous l'habitude qu'elle avait de l'habitude, le respect qu'elle avait du respect, ne lisant des Mémoires de Casanova que l'appareil érudit qui lui faisait longue escorte numérotée. Toi, Ghislaine, tu as refusé que s'interpose entre les œuvres de l'homme ou de la nature et ton esprit le mur murmurant de la culture. Tu étais en prise directe avec Rodin, devant un nu tu voyais un nu, comme je t'ai vue nue à la quatre-vingt-dix-septième minute.

Lena avait demandé elle-même le divorce, heureusement, car j'étais trop faible pour oser prendre les devants. Sans doute fut-elle surprise et fâchée de l'enthousiasme avec lequel j'acceptai. Elle a freiné. De Nantes où elle est professeur, elle m'accablait de lettres. Elle faisait donner les souvenirs. Fin août, elle me jetait des défis. Exemple : tu n'oserais pas retourner au musée Rodin. A vingt ans, nous nous étions connus à la Sorbonne, nous avions pris rendez-vous pour visiter le musée Rodin, puis nous avions couché ensemble. Il m'arrivait de temps en temps de coucher avec une de mes camarades, mais celle-ci posa tout de suite les grappins. Alors je suis retourné au musée Rodin pour savoir, et Ghislaine m'a donné la réponse.

Il y a dans l'annuaire du téléphone cent soixante-quatorze Beaumont, je me suis tapé de les compter. Certains n'offrent ni leur prénom ni leur sexe, mais d'autres poussent plus loin la confidence. Je découvre qu'aimer c'est frémir avec le même élan chaque fois que le regard rencontre, organisées en un îlot, les lettres composant le nom chéri. Celui-ci ne se prête pas au découpage, je rencontre isolément *beau* et *mont* en toute indifférence alors que mon existence change de densité et de couleur quand je lis d'affilée Beaumont. L'effet du patronyme est beaucoup plus puissant que celui du prénom, alors que le prénom étant plus intime, c'est le contraire qui devrait se produire. Ma formation scientifique tolère mal ces bizarreries, mais m'impose le devoir de les constater. Il est vrai que si je pouvais enfin réunir Ghislaine et Beaumont, je me laisserais submerger, je perdrais la tête. L'amour, j'apprends. Ce n'est pas le bonheur mais la promesse renouvelée du bonheur.

Le sixième et le septième dimanche

Elle s'éveilla avec Agnès qui, s'étant dressée sur l'oreiller où elle avait passé la nuit, lui donna la fête du matin. Leurs visages se caressèrent. La bouche de Mlle Beaunon frôlait le petit nez d'Agnès si frais qu'il la rendait honteuse des tiédeurs du sommeil qui épaississaient encore ses lèvres. Le divin ronronnement s'éleva pendant que la chatte se promenait de long en large sur le visage et le corps de son amie.

Si quinze jours plus tôt Mlle Beaunon, à l'abrupt, s'était éprise d'Agnès, celle-ci avait respecté les étapes et marqué, devant la nouvelle compagne qu'un hasard aveugle lui imposait, les hésitations rituelles qu'elle renouvelait devant toute nourriture. Agnès avait commencé par la regarder tantôt fixement, tantôt à la dérobée. Elle s'était décidée à la humer puis à sauter sur les genoux de cette inconnue qui devenait habituelle. Elle l'attendait chaque soir, mystérieusement prévenue, et se frottait à ses jambes dans l'entrebâillement de la porte. Elle lui griffa même les jambes pour être prise dans les bras et une nuit se glissa dans le lit et se lova contre le ventre de sa déesse. Un matin, elle inaugura son enthousiaste

ballet en se promenant sur Mlle Beaunon, en lui
balayant le visage de sa queue, lui mettant sous le nez
un cul composé d'un trou rose et d'un trou noir ; pour
finir elle lui lécha la joue. Mlle Beaunon avait serré sur
son cœur ce corps vibrant, avait chuchoté avec
étonnement « Chérie-chérie. » Dans la journée, elle
se morfondait à la pensée qu'Agnès était seule et
s'ennuyait. A l'heure du déjeuner, elle avait décidé de
revenir chaque jour chez elle passer un court moment
qui était toujours, même si Agnès dormait ou boudait
avec dédain, un délice. Elle ne pouvait croire en un
bonheur dont l'expérience lui manquait.

Agnès sauta sur le parquet et miaula à sa manière
qui consistait à gazouiller brièvement comme certains
oiseaux. Sachant qu'elle avait été comprise et qu'elle
était obéie, elle s'abandonna à l'exaltation, se jetant
dans les jambes de Mlle Beaunon pour escorter sa
marche vers le réfrigérateur, mêlant ses petits cris à
un ronronnement perpétuel où se fondaient le souvenir du câlin matinal et l'attente d'un délice. Quand
Mlle Beaunon entreprit de couper la tranche de foie en
petits morceaux, elle fut dérangée encore par Agnès
qui avait sauté sur la tablette, ivre de convoitise, prête
à se laisser écorcher une patte par le couteau dentelé,
prisonnière d'un instinct qui fait de la nourriture la
condition première de la vie. Elle avait flairé son
aliment favori.

La regardant manger en s'étranglant, Mlle Beaunon
éprouva le regret de ne pas être aimée uniquement
pour elle-même. Mais, revenue vers le lit qu'elle se
mit à défaire et à refaire, elle reçut bientôt une visite
désintéressée d'Agnès qui, se dressant sur les pattes
de derrière, offrait son visage comme un cadeau, se
pourléchait les babines, ronronnait non plus conti-

nuellement mais par accès, ne ronronnant plus pour elle-même mais pour moi, pensa Mlle Beaunon, pour me remercier.

— C'est moi qui te remercie, Agnès.

L'ayant écoutée, celle-ci se dirigea vers un radiateur, s'assit contre lui et commença son éternelle toilette avec hâte comme si elle était en retard.

Un peu avant midi, Mlle Beaunon découvrit qu'elle avait oublié de prévoir leur dîner. Le plus simple était de courir chez Debussy et d'acheter une copieuse provision de jambon pour elles deux. Chaque fois qu'elle sortait elle faisait des adieux, déclarant : « Agnès, à tout à l'heure », si elle s'absentait pour plusieurs heures ou : « Agnès, je reviens », si elle comptait rentrer très vite. Elle déclara donc :

— Agnès, je reviens.

La chatte était en train de se faire les griffes sur le tapis de prière que Mlle Beaunon s'était résignée à lui abandonner. Elle interrompit ce frénétique exercice pour courir vers la porte qui lui fut prudemment refermée au nez.

La matinée était froide mais elle s'ensoleillait et il était agréable de marcher d'un pas vif sur un trottoir presque désert. Quand, ses emplettes terminées, elle reprit le chemin de la maison, elle se réjouit, caressant la certitude qu'Agnès montait la garde contre la porte et que leurs retrouvailles prendraient deux bonnes minutes. Il arrivait souvent qu'elle miaulât dès que sa maîtresse dont elle connaissait le pas sortait de l'ascenseur.

Elle fut déçue de l'absence d'Agnès mais ne s'en étonna pas, celle-ci l'ayant habituée à ses caprices ou à son jeu qui consistait à se cacher pour bondir tout à trac avec l'espoir enfantin de faire peur à celui qu'on aime.

Mlle Beaunon entra dans le jeu ; elle parcourut la pièce, écarta les rideaux, sonda les placards en récitant les couplets que son père débitait à ses coqs. Elle avait seulement substitué chat à coq :

— Mais qu'est-ce que c'est qu'un petit chat pareil ! Des chats qui se conduisent comme ça finissent toujours mal, ils sont déférés devant des conseils de guerre, ces chats-là, ou fusillés sur place ou expédiés à l'île du Diable où les insectes les dévorent.

Son exploration l'ayant rapprochée de la grande table elle aperçut un feuillet d'agenda où courait l'écriture désinvolte de Yolande. « Je regrette de t'avoir manquée. J'ai repris mon sac et ma jupe. Je te téléphonerai. Il faut que je te dise que quand je suis entrée, ton chat s'est faufilé dans mes jambes et s'est sauvé. Je n'ai pas eu le temps de le chercher parce que je suis très en retard. Baisers. »

Pendant les minutes qui suivirent, elle ne fut plus qu'une course qui aurait semblé démente à tout observateur non informé. Négligeant l'ascenseur, elle dévala puis remonta l'escalier en s'arrêtant à chaque étage pour scruter le palier. Hors d'haleine, elle franchit l'entrée, déboucha sur le trottoir qui était ensoleillé et plutôt solitaire. A intervalles presque réguliers, elle criait :

— Agnès !

La gardienne se considérait en congé du samedi midi au lundi matin et ne souffrait pas qu'on la dérangeât dans sa loge pendant cette période. Peut-être ne lui déplaisait-il pas de voir un visage de près et d'échanger des phrases mais elle tenait à souligner ses droits par des récriminations préalables. Pour une fois

elle s'en dispensa, effrayée par la face décomposée de
sa visiteuse qui, en quelques mots haletants, l'interrogea sans qu'elle pût répondre autrement que par des
hochements de tête négatifs. Elle n'avait aperçu
aucun petit chat rose aux yeux bleus, elle n'avait
même aperçu aucun chat du tout. Puis elle posa des
questions oiseuses sur le modèle : « Avez-vous bien
regardé chez vous dans tous les coins ? » Enfin, elle
promit que si elle voyait un chat, elle essaierait de
l'attraper ou préviendrait par téléphone. Comme si ce
détail eût facilité la recherche, Mlle Beaunon cria en
s'enfuyant :

— Elle s'appelle Agnès.

Toujours en courant, elle visita de nouveau les
escaliers, appela la chatte à tous les étages, puis rentra
chez elle, ne sachant plus que faire. Elle cherchait les
mouvements qui l'auraient délivrée d'une inaction qui
la laissait seule en présence de son désespoir. Machinalement, elle regardait autour d'elle comme si Agnès
eût dû, à l'improviste, apparaître. Son regard ne
rencontra que la petite balle en caoutchouc qu'elle lui
avait offerte pour jouer et dans l'assiette quelques
morceaux de foie car Agnès, malgré sa gloutonnerie,
prenait toujours la précaution de se constituer une
petite réserve qu'elle grignoterait quelques heures
plus tard. Le cœur noyé elle reçut soudain l'assistance
tonique de la colère. Elle se précipita vers le billet de
Yolande, le déchira, l'écrasa au fond de sa main, jeta
la boulette d'une main, tira la chasse d'eau de l'autre
et cracha en même temps pour consacrer l'expulsion
de Yolande à travers son dernier vestige puis ses yeux
brillèrent : non, il restait encore du Yolande à exterminer. Avec une joie forcenée elle lacéra à coups de
couteau la chemise de nuit et la robe de chambre de la

salope qui disparurent dans la poubelle, lambeau par lambeau.

Atterrée, elle se demanda comment elle avait pu perdre un temps précieux à de vaines représailles. Agnès n'avait disparu que quarante ou quarante-cinq minutes plus tôt, elle ne pouvait pas être loin. Il fallait fouiller avec méthode, mais selon quelle méthode ? Elle se jeta sur son carnet d'adresses puis sur le téléphone et reconnut enfin la voix de Mme Broussais. Celle-ci écouta, admit implicitement que l'affaire était d'importance et proposa de descendre chez sa voisine pour en discuter.

C'était la première fois que l'une entrait chez l'autre. Jusqu'alors elles n'avaient bavardé que dans l'entrée de l'immeuble. Quand M. Broussais était mort, Mlle Beaunon se reposait en Suisse, elle avait donc échappé à une visite de condoléances. A cette cérémonie, s'était substitué un long entretien devant l'ascenseur pendant lequel Mme Broussais avait tenté de persuader son interlocutrice que le moribond était rentré dans le sein du Parti dont, contrairement à sa femme, il était sorti après Budapest.

Mlle Beaunon, Mme Broussais et la politique

Que la politique existât, qu'elle fût pour les uns un métier ou un expédient qui permettaient de satisfaire des passions, des ambitions de gloire ou d'argent, pour les autres un sujet de conversation et à l'occasion de querelle, qu'en certains temps, en certains lieux, elle s'entendît avec la détention et le meurtre, Mlle Beaunon le savait parce que, jusqu'à l'arrivée d'Agnès, elle occupait la vacance qui lui était imposée entre midi et deux heures à lire sur un banc du square de la Trinité l'un des magazines qui inondaient le bureau ou, les jours de pluie ou de froid, à écouter dans un bistrot de la rue de la Victoire les familiers du comptoir dont les discussions, pour un tiers, portaient sur les événements et les idées qui menaçaient l'humanité ou la délivraient. Elle lisait d'un œil distrait, écoutait d'une oreille indiscrète mais croyait en avoir appris assez puisque si un chef d'Etat annonçait que la situation faite à la Pologne était intolérable, cela signifiait qu'il était bien décidé à la tolérer. Or, cette indifférente ne s'était liée dans l'immeuble qu'à Mme Broussais qui, toute douce et potelée, pas une ride à soixante-quatre ans, n'était que passion implacable et fureur documentée.

Sans jamais se laisser troubler, Mme Broussais avait applaudi à l'exécution des traîtres tchèques et hongrois puis à leur réhabilitation, à la cérémonie du Vél' d'Hiv' elle avait pleuré sur la mort de Staline puis, feint de destaliniser; contrairement à son mari, qui avait rendu sa carte, elle avait maudit les évêques et espions impérialistes qui, à Budapest, se dressaient contre le peuple que l'Armée rouge avait sauvé à temps; un peu plus tard, elle avait vibré avec des Tchèques qui se demandaient si cette pauvre Armée rouge arriverait assez vite pour les délivrer de leur atroce printemps; récemment les Afghans avaient été secourus de jus-tesse, les Polonais s'étaient débarrassés eux-mêmes, grâce à une dizaine de leurs généraux, d'un syndica-lisme vaticanisé et américanisé, mais enfin mon vieux, confiait Mme Broussais à Mlle Beaunon, si ces braves généraux ont réussi, c'est parce que l'Armée rouge était là derrière, prête comme toujours, cette malheureuse qui se dévoue sous tous les ciels. La bonne dame ronde aux jolies yeux tendres digérait paisiblement l'extermination

de dizaines de millions de Russes par les bolcheviks ;
quand on lui lançait l'affaire des hôpitaux psychiatri-
ques, elle répondait que les hôpitaux existaient aussi en
France et si l'on évoquait le couvre-feu au Vietnam Sud
elle répondait que point n'était besoin pour subir ça de
courir jusqu'à Saigon puisque dans le quartier elle vous
mettait au défi de trouver un paquet de cigarettes et une
tranche de jambon après onze heures du soir.
Mlle Beaunon admirait que l'on pût, sereine, gentille et
heureuse, passer toute une vie dans une erreur dont le
volume en imposait.

En entrant, Mme Broussais eut l'esprit d'éviter les
compliments d'usage sur l'appartement, elle interrogea avec précision puis, suivie de Mlle Beaunon, reprit
la fouille qui se prolongea assez loin dans la rue et se
poursuivit dans la cour intérieure et très longuement
dans le terrain vague né de la destruction des maisons
qui faisaient face. Ce lieu frappait par son manque de
certitude. A la place des vieilles maisons coiffées de
tuiles qui six mois plus tôt se portaient encore bien,
des fosses dans un vacarme haineux s'étaient creusées. Après un conflit mystérieux, la reconstruction
était tombée en panne, l'eau gagnait dans les excava-
tions, l'herbe poussait sur le glacis et des ordures —
plutôt mécaniques, tronçons de bicyclettes, aspirateurs défunts, pneus déchirés — s'accumulaient du
même mouvement que la végétation. Ne manquaient
que les orties. Le terrain valant fort cher, il était
raisonnable de considérer comme imminente la
reprise des travaux ; en était peut-être la preuve la
présence d'un bulldozer abandonné sur une pente,
jaune et hargneux, réduit au silence mais silencieux

comme une brute qui va frapper ou en rêve. Ainsi le voyait Mlle Beaunon qui, derrière Mme Broussais dont le pas était infaillible, trébuchait. Elle considéra ce bulldozer comme le char oublié sur un champ de bataille qu'elle avait vu à la télé, inerte sur un tertre qu'il avait sans doute voulu escalader à moins qu'il n'eût cherché derrière lui un abri. Puis elle passa dans un sous-marin, dévisageant à travers un hublot l'épave de la *Sémillante* coulée dans le détroit de Messine pendant la guerre de Crimée ; la gravure d'un de ses livres d'enfance l'avait frappée, qui montrait la glorieuse carcasse prisonnière de lianes marines. Ce qu'elle cherchait, Mlle Beaunon, au moyen d'un char d'assaut et d'une frégate engloutie, c'était d'oublier la situation intenable à laquelle ce jour la réduisait, le dimanche le plus noir de sa vie.

Elle jouait à un jeu destructeur, elle remontait le temps. D'abord elle se voyait au téléphone, refusant à Léone l'offre d'Agnès : aussitôt fait, aussitôt oublié, aujourd'hui elle serait tranquille. Mais elle aurait perdu des semaines de bonheur rond, inimaginables. Elle descendait alors le temps jusqu'à la veille où croisant le serrurier voisin, elle avait décidé, sans passer à l'acte, de lui demander une nouvelle serrure pour interdire à Yolande toute incursion. Peu après, elle avait laissé sur sa gauche l'épicerie où elle aurait pu acheter des conserves et même du jambon moins bon que chez Debussy où il était à l'os mais mangeable — bref une nourriture qui aurait convenu à Agnès. Ainsi elle serait restée toute la journée chez elle et lors du passage de cette putain, elle aurait veillé. Pourquoi avait-elle couru ventre à terre chez Debussy alors que, le traiteur ne fermant pas avant huit heures, elle avait tout le temps de lui rendre visite ? Jamais elle n'avait éprouvé le besoin de remonter le temps, n'ayant eu encore affaire ni au remords ni au regret. Pour la première fois, elle faisait l'expérience de son irréversibilité. Dans l'espace on peut revenir sur ses pas, c'est impossible dans le temps.

— Agnès ! criait à intervalles réguliers Mme Broussais.

Elles renoncèrent et rebroussèrent chemin vers l'immeuble puisque l'espace se laissait remonter. Elles ne pouvaient se résoudre, en abandonnant les recherches, à abandonner l'espoir. Elles errèrent de nouveau dans la rue, en vain. La gardienne sortit de sa loge et les arrêta.

— J'ai une idée !

Ces mots bouleversèrent Mlle Beaunon. Elle regarda avec une attention qui ne lui était pas habituelle cette grande fille de cinquante ans, ancienne cascadeuse qu'on savait recousue et ressoudée d'un bout à l'autre car elle s'était cassé une jambe à l'issue d'un saut en parachute, un tigre lui avait lacéré un bras, elle avait été brûlée dans l'incendie d'une voiture, etc. Son visage était intact, maigre et mangé par une grande bouche très fardée. L'idée consistait à poser une affichette dans l'entrée pour annoncer la disparition d'Agnès, donner son signalement, préciser le nom et l'adresse de sa maîtresse, promettre une bonne récompense.

— Ah ça oui ! Je donnerai tout ce que j'ai.

Mme Broussais proposa les affichettes autocollantes qu'elle utilisait pour annoncer une séance de cinéma ou une fête organisée par la cellule. On pouvait les placer non seulement dans l'entrée mais sur les réverbères ou les arbres du voisinage. Elles finirent par s'attabler toutes les trois dans la loge pour copier le message à une dizaine d'exemplaires. Elles se dispersèrent pour coller à droite et à gauche le long de la rue ; Mme Broussais colla même une affichette sur la vitre de sa voiture puis elle livra le produit de ses réflexions. La porte de l'escalier étant souvent entre-bâillée, Agnès l'avait probablement descendu ou monté puis, errant dans un couloir, elle avait apitoyé l'un des locataires qui l'avait recueillie. La gardienne-ex-cascadeuse leur offrit aussitôt un carton sur lequel figuraient tous les noms de l'immeuble suivis de leur numéro de téléphone. Seuls « les jeunes du cinquième » en étaient dépourvus. Mlle Beaunon remercia, faillit s'attendrir, fut emmenée avec une douce énergie par Mme Broussais et se retrouva chez elle, toujours soutenue par sa compagne.

Elles appelèrent d'abord M. Penard, le voisin immédiat, professeur en retraite qui concubinait avec une jeune avocate. Ce fut lui qui répondit et, ayant patiemment écouté, assura qu'il n'avait rencontré aucun chat mais... ce « mais » leur donna à l'une et à l'autre, car Mme Broussais tenait l'écouteur, un frisson d'espoir.

— Mais, poursuivit-il, vous avez eu une idée funeste en appelant ce chat Agnès. N'auriez-vous pas lu Molière...

— Pardon ?

— *L'Ecole des femmes.* Qu'annonce Agnès à Arnolphe ? Vous ne vous rappelez pas ! Elle lui dit : « Le petit chat est mort. » C'est de mauvais augure. J'ai horreur des chats, donc je n'en aurai jamais, mais si je les avais aimés, j'en aurais eu un que je me serais gardé d'appeler Agnès.

A l'appel suivant, elles tombèrent sur Mme Jalligot,

redoutable retraitée qui passait une partie de sa journée devant la porte cochère sous prétexte de surveiller son chien, Jupiter, chose minuscule faite de poils qui ressemblaient à des plumes et l'ensevelissaient à ce point qu'il était difficile de distinguer l'arrière de l'avant. Pendant quelques années, Mme Jalligot avait vécu avec M. Locuste qui, elle-même le racontait, lui avait posé un ultimatum : « Je ne resterai que si vous vous engagez à ne plus m'adresser la parole désormais que pour des motifs de service. » Il était parti et sous la caution de son chien elle restait embusquée pendant des heures, agrippant au passage chaque habitant de l'immeuble, avide d'entendre le son de sa propre voix, le son de l'autre voix, le tintement de son âme contre une autre âme. Elle n'avait pas vu Agnès mais des histoires de chat qui s'étaient sauvés, elle en connaissait beaucoup car contrairement à M. Labbé qui ne vivait que pour son chien-loup et haïssait les chats, elle les aimait, partageant en cela les sentiments de Jupiter qui adorait non seulement les chats mais les souris, donc s'il se trouvait nez à nez avec Agnès dans le couloir ou dans la rue, il se garderait de lui tordre le cou, bien au contraire. Quand Mlle Beaunon raccrocha, elle était épuisée mais inquiète.

— Vous avez entendu ? Le chien-loup de M. Labbé. Peut-être qu'il a dévoré Agnès !

— Téléphonons. C'est le plus simple pour en avoir le cœur net. Je connais bien M. Labbé, il est de droite mais par inconscience, et nous nous entendons ; si vous voulez, je m'en charge.

De la conversation, il ressortit que ni M. Labbé ni son chien n'avaient rencontré ni dévoré le moindre chat. La voix était chaude, cordiale, mais l'inflexion restait distraite, cet homme ayant trop exclusivement pris le parti des chiens pour concevoir qu'on pût montrer longtemps de l'intérêt pour un chat. Mlle Beaunon découvrait qu'on ne peut admettre un sentiment que si on l'a éprouvé. Il en était de même pour un goût : détestant le lait, elle avait en vain tenté de se raisonner pour parvenir à tolérer sans dégoût que d'autres l'aimassent. Ses motifs d'hostilité pour sa sœur avaient été nombreux, mais la passion de celle-ci pour ce liquide tenait sa place.

Le mélange de hasard et de logique qui avait assemblé tous ces gens dans ce bâtiment avait abouti à une moyenne d'âge plutôt élevée, mais les situations sociales étaient disparates. Mme Broussais, qui connaissait bien presque tous les habitants, s'était résolue à lancer les appels elle-même. Elle interpella successivement un écailleur retraité et un pianiste marié à une professeur de mathématiques et père de deux petits enfants, qui mêlaient leurs cris aux accords de la musique. L'écailleur, cheveux blancs sur visage rouge, ressemblait à un vieux capitaine au long cours, grâce peut-être aux odeurs d'iode dans lesquelles il avait vécu, aux algues qu'il avait brassées, à l'autorité qu'il avait prise en démantibulant les huîtres avec son bref couteau à l'ample garde. Il n'avait pas rencontré Agnès mais promettait de faire bonne garde, il avait eu un chat dans sa vie qu'il avait baptisé Vaugirard parce qu'il l'avait trouvé dans cette rue. Il raconta l'histoire de ce chat, détailla ses goûts et ses escapades ; il fut cordial mais un peu long. La professeur de mathématiques fut courtoise, sèche et rapide. En fond sonore, le *Klavierstücke,* joué par le mari ou transmis par la radio.

M. Ladvocat, ingénieur conseil, avait vu un chat sur

le pas de la porte, mais trois mois plus tôt. M. Grive, expert en philatélie, n'avait strictement rien vu. Mme Hasser, marchande foraine, n'était pas sortie de chez elle depuis deux jours, elle soignait son mari qui souffrait d'une grippe. Le défilé se poursuivait. Mme Tiran avait échappé à la grippe mais *son* eczéma l'avait reprise et, se jugeant non montrable, elle se terrait ; son fils la ravitaillait, il ne fallait pas s'inquiéter de son sort mais elle ne pouvait rien pour le chat. Il arrivait qu'un poste ne répondît pas, Mme Broussais notait le nom et le numéro, bien décidée à récidiver dans la soirée. La cérémonie continua mais Mlle Beaunon avait perdu l'espoir d'entendre tout à coup sa compagne s'exclamer de surprise et de joie. Elle n'était pourtant pas pressée de voir arriver la fin de la liste. Cette illusion d'action retardait le tête-à-tête avec elle-même dont elle mesurait les affres.

Bientôt, il ne leur resta plus qu'à monter au cinquième pour rendre visite aux jeunes dépourvus de téléphone. Un appartement avait été découpé en trois chambres. Elles frappèrent à la première porte mais n'obtinrent aucune réponse. Les deux petits homosexuels étaient de sortie. En revanche, derrière la deuxième porte régnait un bacchanal assourdissant. Pour se faire entendre, Mme Broussais frappait de plus en plus fort, cognait. La chambre était meublée d'un matelas, d'un électrophone et de quelques bouteilles. L'électrophone donnait de toute sa puissance. La douzaine de filles et de garçons qui dansaient dans cet espace restreint s'arrêtèrent, la mine agressive, croyant qu'on venait leur reprocher une fois de plus leur tapage. Les visiteuses se justifièrent en hurlant pour essayer de dominer l'électrophone. Une fille belle, entièrement nue, leur sourit avec une extrême gentillesse en leur criant qu'elle n'avait pas vu la fugueuse, mais que le pauvre chou reviendrait sûrement ou serait retrouvé. Pour prouver la sincérité de sa compassion, elle montra, tapi dans un coin, un chat noir qui, faute de pouvoir fermer les oreilles, fermait les yeux. Elle montrait non de la main mais du pied, levant très haut la jambe pour que les orteils désignassent le chat. Cette pose donnait à son sexe, qui était rasé, une ressemblance avec celui d'Iris, messagère des Dieux.

Revenue dans le couloir, Mlle Beaunon se reprocha de songer à Rodin donc à la luxure dans un moment de pure souffrance, irritée contre elle-même et n'écoutant pas Mme Broussais qui déplorait les orages orgiaques du capitalisme auxquels s'opposaient si joliment les fêtes folkloriques des pays de l'Est où tournoient les jupes bigarrées de filles conscientes et saines.

Devant la porte suivante, Mme Broussais marqua un mouvement de retrait.

— C'est un affreux trotskiste qui gîte là. L'an passé je lui ai rivé son bec mais enfin il m'a dit des horreurs. Je descends vous attendre chez vous.

Après lui avoir remis son trousseau de clés, Mlle Beaunon tira un pied-de-biche qui actionnait une clochette et se trouva en présence d'un jeune homme en pull noir, rasé de près, le cheveu court. S'exprimant sur un ton neutre et calme, il promit de s'emparer d'Agnès s'il la rencontrait.

— Elle n'est pas méchante ?

— Elle ! Oh non, mon Dieu, la pauvre ! répondit-elle en sentant que sa voix fondait.

Bien balayée, bien astiquée, la pièce était disproportionnée avec les gros meubles qu'elle enfermait :

un lit, un fauteuil, un secrétaire, tous de style empire. Le trotskiste s'abusa et crut que sa visiteuse regardait le manuscrit qui occupait le centre du secrétaire.

— Oui, j'écris un roman. Ça vous paraît ridicule ?

Aussitôt, elle répéta sous plusieurs formes qu'elle admirait les romanciers, puis remercia et battit en retraite. Par l'entrebâillement de la porte, le trotskiste dont l'air était devenu soucieux l'interrogea :

— Vous êtes forte en orthographe ?

— Comme ça... un peu.

— Renchérir, ça prend combien d'*r* ?

— Un au début, un au milieu et un à la fin.

— Un seul au milieu ?

— Mais oui.

— Vous en êtes sûre ?

Elle était sûre de son orthographe, et dans l'ascenseur elle se dit que c'était bien la seule certitude qui lui restât au moment où, ayant perdu Agnès, elle était incapable d'imaginer sa vie sans elle. Mme Broussais lui ouvrit. Toutes deux se dirigèrent vers la baie.

— J'ai bien examiné le chantier, je n'ai rien vu, il est vrai que le soir commence à tomber.

Elle regarda sa montre et s'exclama, surprise, qu'il était déjà cinq heures.

Effrayée par la solitude, frayeur nouvelle pour elle, Mlle Beaunon proposa une tasse de thé.

— Vous n'auriez pas tout simplement du vin rouge... ou du blanc ?

— J'ai un fond de porto !

Il se révéla que ce fond occupait les trois quarts de la bouteille. Elle servit copieusement son invitée, s'octroya quelques gouttes mais ne tarda pas à renouveler la dose, elle qui ne buvait jamais.

— Il faut attendre, mon vieux, qu'est-ce que vous voulez que je vous dise...

— Je n'ose plus espérer.

— Et si vous aviez été à ma place ? Le mien était perdu, pas perdu dans la maison, perdu aux yeux du vétérinaire. Il souffrait. J'ai pris ma décision. Je l'ai gardé sur mes genoux pendant que le vétérinaire le piquait et il est mort en ronronnant. Je vous dirai une chose que je me garderais de dire à n'importe qui, ce serait mal jugé, mais sa mort m'a fait plus de peine que celle de mon mari.

Au moment de partir, elle conseilla à Mlle Beaunon d'allumer l'électricité.

— Vous n'allez pas vous enterrer dans le noir ! Réagissez... Vous avez à manger ?

— Quand le malheur est arrivé, j'étais sortie acheter du jambon pour le partager avec elle. Vous me voyez le mangeant toute seule !

— Oui, je vous vois très bien. Ça avancerait à quoi de vous laisser dépérir ? Si ça va trop mal, appelez-moi, vous monterez... sinon je vous téléphone demain.

A peine seule, elle jugea déjà intenable sa position. Elle songea au suicide, non comme à une fleur floue, mais comme à un acte utile, puis se laissa freiner par le manque de moyens matériels et par un espoir qui persistait. Elle espérait toujours puisque, la sonnerie du téléphone ayant retenti, elle se précipita, presque sûre qu'un passant qui avait lu l'affichette l'appelait.

— C'est Léone, je ne vous dérange pas ?

Déranger était un mot faible. Mlle Beaunon resta sans voix.

— Je vous ai déjà appelée cet après-midi, mais

tantôt c'était occupé, tantôt ça ne répondait pas.
Comment allez-vous ?

— Bien, merci, et vous ?

— Merci, ça va, je suis en province. Et Agnès, elle
ne vous donne pas trop de mal ? Elle s'habitue ?

— Elle s'est très bien habituée. Elle se porte très
bien. Elle est très gentille. En ce moment elle dort à
côté du radiateur.

Elle s'était exprimée avec une telle détermination
que lorsqu'elle eut raccroché, elle passa son manteau
et sortit pour mener une nouvelle exploration.

Il faisait nuit noire quand elle revint, ayant fouillé
des ruelles et, criant toujours Agnès, remonté un bout
de la rue de Vaugirard où coulaient de meurtrières
voitures. Comme elle poussait sa porte elle fut happée
par la sonnerie du téléphone.

— Les parents de Lucien t'invitent à déjeuner
dimanche prochain. Est-ce que ça te va ?

— Tu es une criminelle, une conne, je ne veux plus
te voir ni t'entendre.

Yolande balbutia, gênée sans doute par la présence
des beaux-parents, lente à comprendre. Enfin, elle
s'exclama :

— C'est à cause du chat ? Je t'en trouverai un
autre. A mon hôtel, c'est plein de chats qui viennent
traîner. Il y en a même des petits qui sont vachement
mignons.

Ayant raccroché, Mlle Beaunon décida de vivre
pour attendre le retour d'Agnès. Donc elle mangea le
jambon. Elle reprit du porto. Elle avait envie de prier
mais Dieu lui manquait.

Mlle **Beaunon et Dieu**

C'est trop peu dire qu'elle croyait en la survie des âmes ; on croit par un mouvement du cœur, une adhésion de l'être, une mobilisation de la foi, or elle constatait cette survie comme une évidence. Il n'en était pas de même pour Dieu. Il était nécessaire, on ne pouvait se passer de lui mais elle le jugeait surfait. Il avait donné le coup initial mais sans plus. De même qu'il suffit d'un son aigu ou de la chute d'une boule de neige pour déclencher une avalanche qui en importance dépasse fabuleusement sa cause, de même il avait suffi à Dieu d'un geste de rien du tout pour, distrait, mettre en mouvement le monde qui s'était chargé de proliférer par ses propres moyens. Elle n'hésitait pas à penser que le créateur était inférieur à sa création.

Universitaire, elle serait devenue célèbre après la publication de sa thèse chez Gallimard et vous seriez sans doute créativiste et beaunonien, ce qui mène loin car en classe elle avait appris l'existence d'une force d'inertie qui veut qu'une masse s'oppose à toute modifi-cation de vitesse, aussitôt elle en avait déduit que Dieu était conservateur et même réactionnaire. Quand, dans le métro, la rame freinant, les voyageurs étaient jetés en avant pour conserver la vitesse, elle souriait de cette petite marotte divine bien inoffensive, mais donnant du front dans le pare-brise lors d'un coup de frein de sa sœur elle en avait été sérieusement irritée : il exagérait, on ne pousse pas un dada à ce point. Ce fanatique du train-train quotidien ignorait tout caprice ; sauf quel-ques comètes qui lui avaient échappé des mains il maintenait un ordre fastidieux dans le ciel où les astres en étaient réduits à tourner en rond comme fauves en cage. *Il avait inventé la sexualité pour soumettre les êtres à un même règlement qui voulait que les mâles pénètrent les femelles et exécutent en elles un va-et-vient presque aussi discipliné que la rotation des astres. Elle en jugeait ainsi à propos des mammifères et des oiseaux car pour les reptiles, les poissons, les insectes et les mollusques, elle manquait de renseignements.*

Enfant, pieuse par plaisir — chanter au catéchisme, allumer un cierge, composer un bouquet pour l'autel de saint Joseph, participer à la broderie d'une nappe de l'autel de la Vierge, s'agenouiller dans un léger effluve d'encens, s'attarder la dernière dans l'église, lieu privilégié, avaient pendant des années comblé son besoin de joie et de beauté et la plus belle robe de sa vie avait été celle de sa première communion — elle avait éprouvé pour Dieu une tendre indulgence. Elle avait associé son visage aux autres visages enchanteurs qu'elle contemplait à l'église et sur les multiples images pieuses colorées de rose, de bleu et d'or que lui offrait sa tante. Elle ne lui reprochait même pas de s'être laissé dépasser par son entourage, Jésus s'offrant une fugue sur la terre, certains saints, comme paraît-il Marie-Madeleine, faisant les quatre cents coups, la Vierge apparaissant à droite et à gauche volontiers dans des grottes et devant des enfants pendant que Dieu restait tout seul dans un coin. Il lui avait inspiré une sympathie affectueuse, elle l'avait considéré comme la bonté même. C'était sa bonté qu'elle voyait rayonner dans la pénombre de l'église où palpitaient les lueurs trébuchantes des cierges, qu'elle recevait comme une certitude délicieuse en récitant sa prière du soir. Au cours des ans elle était devenue plus sensible à l'incapacité de Dieu qu'à sa bonté. En cet instant c'était son premier Dieu, le Bon Dieu oublié, qu'elle essayait de

*retrouver pour, comme un enfant, lui demander son
assistance.*

Quelques gorgées de porto aidant, elle se persuada
que si le Dieu de son enfance existait, il devait avoir
déjà deviné qu'elle avait besoin de son secours, il
aurait donc été superflu de l'invoquer davantage.
Ayant perdu la notion du temps elle poursuivit une
soirée confuse. Il lui arriva de regarder un bout de
film à la télévision. Une petite marchande d'allumet-
tes grelottait sous la neige, Yolande en aurait pleuré
car cette fille dépourvue de cœur débordait du lait de
l'humaine bonté devant une fiction. Ses sanglots
auraient afflué au spectacle d'un petit chat perdu sur
un écran alors qu'elle devait être en train de rire avec
Lucien du désespoir de sa tante. Il lui arrivait aussi de
courir vers la baie, de lever la vitre croyant entendre
le pépiement d'Agnès. Même elle descendit de nouveau dans la cour et longea les abords du chantier en
criant Agnès. Une heure plus tard elle criait Agnès
dans la rue, prête à prendre pour sa chatte n'importe
quelle forme, un bout de journal tourmenté par le
vent. Elle n'avait pas senti que le porto agissait sur
elle ; n'ayant jamais bu plus que des dés à coudre, elle
ignorait l'ivresse. A son retour elle constata que les
trois chaînes de télévision s'étaient éteintes et tues.
Elle avait besoin de se délivrer d'elle-même, elle
cherchait des voix. Yolande lui avait montré où
trouver ces nouveaux postes aux mœurs nocturnes
qu'on appelle des radios libres. Plusieurs défilèrent à
la suite qui ne diffusaient que de la musique, enfin
une voix parla.

— Vous écoutez Radio-Casserole. 94,71 Megahertz. Alors l'échange ininterrompu continue. Tous ceux qui ont des problèmes, allez-y ! Problèmes sexuels ou autres. 777 00 11. Nous avons déjà un ami qui a appelé, c'est Maurice, est-ce que tu m'entends, Maurice ?

— Oui, Jean-Loup, je t'entends.

— Qu'est-ce qui ne va pas, Maurice ?

— Je suis un travesti. Pas toute la journée parce que je travaille dans les postes...

— Mais pourtant, Maurice, il y a des postières dans les postes.

— Oui, mais ils savent que je suis pas une postière, c'est ça déjà qui est déprimant, être obligé de se dissimuler, de dissimuler ce qu'on est dans son essence profonde, je sais pas si tu vois ça, Jean-Loup...

— Si si, Maurice, je vois, je vois très bien. En somme, tu souffres que la société te réduise à une espèce de clandestinité.

— C'est pas seulement ça, Jean-Loup. Si tu veux, j'ai beaucoup de succès. Mais les hommes profitent de mon corps, c'est tout. Quelquefois, il y en a un qui fait des promesses, il les tient pas. Ne pas pouvoir tomber sur un attachement durable, c'est horrible, je sais pas si tu imagines ça, Jean-Loup.

— Si si, j'imagine, Maurice.

Mlle Beaunon n'écoutait plus. Elle avait composé le numéro de téléphone. Une fille lui répondit, nota le prénom et le numéro de sa correspondante, se renseigna puis :

— Ne raccroche pas, ça se termine avec celui-là, tu vas être branchée dans une minute.

— Je te remercie.

Ce tutoiement abrupt entre inconnus coûtait à Mlle

Beaunon, mais elle était lancée, ou plutôt elle avait décidé de se laisser entraîner n'importe où pour échapper au silence et à l'inaction.

— Ben tu vois, Maurice, je te le dis comme je le pense, peut-être que je me gourre, mais si les hommes que tu rencontres ne t'accordent qu'un intérêt physique, c'est sûrement parce que tu ne leur donnes pas l'impression de chercher des relations plus sentimentales. Change d'attitude et tu verras. En tout cas on a ton numéro, s'il y a des appels pour toi on te les transmettra et tu trouveras peut-être un consolateur. Et maintenant c'est une correspondante... Yvonne... Tu m'entends Yvonne ? Parle.

— Oui, je... t'entends. Toi aussi ?

Habituée aux auditoriums et aux salles de montage, elle fut à peine surprise que sa voix lui parvînt du transistor.

— Oui, je t'entends, Yvonne. Alors, qu'est-ce qui ne va pas ?

— Agnès m'a quittée.

— Tu as à peu près quel âge sans indiscrétion, Yvonne ?

— La cinquantaine.

— Et c'est depuis toujours que tu es homosexuelle ?

— Homosexuelle !

— Lesbienne, gouine, saphi, comme tu voudras, appelons un chat un chat.

— Mais justement...

— Elle est jeune, Agnès, je parie ?

— Oui, très jeune, mais...

— Qu'est-ce que tu veux, je te dis pas ça pour te consoler, mais c'est classique, et le mieux...

— Tu veux appeler un chat un chat, jeta Mlle Beaunon que gagnait la colère, essaie de comprendre que justement Agnès est un chat ou plutôt une chatte. Elle a une fourrure rosée et les yeux bleu marine, elle est adorable. J'habite 15, rue Gaspard-Hauser, métro Vaugirard.

— D'accord, Yvonne, il y a sûrement des auditeurs qui habitent ton quartier, si l'un d'eux trouve Agnès, il nous téléphone et nous lui filons ton numéro. Mais attends, il y a Jacqueline qui a quelque chose à te dire.

— Yvonne, dit Jacqueline dont la voix était un peu lointaine, j'imagine que tu en baves parce qu'il m'est arrivé la même chose. Un mois après on m'a confié un autre petit chat, je l'ai toujours, c'est au poil, si tu ne retrouves pas Agnès, fais comme moi.

— Au revoir Agnès... pardon, je voulais dire au revoir Yvonne, bonne chance et tiens-nous au courant et maintenant Marlène est en ligne, est-ce que tu m'entends, Marlène ?

— Oui, je t'entends, Jean-Loup.

— Alors, Marlène, raconte-nous un peu par où tu es coincée ?

— Il faut que tu saches d'abord que je suis une ancienne prostituée.

— Ancienne, pourquoi ? C'est volontairement que tu as renoncé à ta profession ?

Ayant tourné le bouton, Mlle Beaunon se dirigea vers son lit. Elle n'avait pas l'intention de dormir mais par principe elle se dévêtit puis, comme d'habitude, se rendit dans la salle de bains pour passer sa chemise de nuit. Elle s'arrêta nue devant la glace. Elle aurait préféré prier mais l'élan lui manquait. En outre, il lui aurait fallu conjuguer sa prière selon le nouveau règlement, en tutoyant comme à Radio-Casserole. « Je te salue Marie, pleine de grâce... » Non. Elle

préférait, face à la glace, remercier Dieu d'avoir si
bien réussi les femmes. Elle constatait qu'elle s'était
toujours désirée elle-même et qu'elle n'avait recouru
aux être velus et membrus que pour se posséder par
leur intercession. Mais elle ne se désirait plus. Donnant des coups de téléphone indiscrets à travers
l'immeuble, faisant irruption à l'improviste chez les
jeunes du cinquième, s'exhibant à la radio, elle aurait
dû savourer la présence de sa vieille amie la gêne. Ce
fantasme lui aussi s'était dissous. Une partie d'elle-
même avait fui avec Agnès.

Elle avait lu que l'angoisse s'étend aux dépens du
sommeil, pourtant elle s'endormit comme une brute.
Le lendemain matin, elle s'éveilla à dix heures,
téléphona au bureau pour se faire porter malade. Elle
resta malade plusieurs jours, recevant d'un air absent
les visites de Mme Broussais, l'accompagnant dans la
cour, dans la rue. Un assoupissement la prenait
pendant qu'elle essayait de regarder la télévision ou
de tricoter et elle ne s'éveillait qu'au petit matin,
l'électricité encore allumée. Le jeudi, pour retourner
au bureau, elle dut demander un réveil téléphonique.
Dans l'après-midi elle s'endormit la tête sur un
dossier, il fallut l'inquiétude feinte ou vraie de
Mme Lamiral, la dernière venue des dactylos, pour
l'obliger à revenir à elle. Mme Lamiral et Mlle Octobre
en chuchotèrent longuement dans le bureau voisin.

Le samedi, elle ne se leva qu'au crépuscule, fit
seulement semblant de se laver. Toujours pour le
principe, elle suçota une tranche de gruyère. Souvent,
elle ne dormait pas complètement mais cultivait une
torpeur où défilaient des archipels de songes qui ne
l'empêchaient pas d'entrevoir le drap, les rideaux, le
fauteuil. Elle savait qu'elle rêvait et pouvait sinon

orienter l'action qui se jouait à l'intérieur d'elle-même, du moins l'interrompre. Sous un ciel pourpre, à travers de longues ruines aussi crasseuses que celles des thermes de Cluny elle vit surgir son père que suivaient Paul et Agnès, celle-ci très digne et la queue en cierge. Un instant elle espéra que son père, lui ayant indiqué le chemin, s'esquiverait. Il n'en était rien. D'impatience, elle chassa le rêve pour chasser son père. Les yeux à peine ouverts, elle les refermait pour couler de nouveau en quête d'un trésor, pareille à ces négrillons qui, dans les livres d'enfants de Yolande, cette salope, plongent nus pour cueillir avec les dents un louis d'or. Ainsi lui arrivait-il de retrouver Agnès assise à côté d'elle sur une banquette de métro ou juchée sur la branche fleurie d'un arbre. Elle déambulait entre un quotidien écrasant et le hasard du kaléidoscope au bout duquel naissait d'une distillation magicienne un imprévu fait de souvenir, d'espoir et de peur. Cette rotation d'images évoquait aussi un manège qui sur des cavales chimériques, licorneuses ou tout simplement percheronnes ou ardennaises présentait successivement, debout ou assis à califourchon, tirant à l'arc, tapant à la machine ou pleurant le père, Paul, Mlle Octobre, Agnès, un inconnu roux et bouclé, M. Debussy, le pape.

L'après-midi, ne pouvant ni dormir, donc rêver, ni agir, elle souhaita un nouvel appel de Yolande qui lui permît de l'insulter à son aise, mais quand le téléphone sonna, ce fut sa sœur qui, avec un calme sévère, lui demanda si elle avait totalement été désertée par l'esprit de famille. Elle lui répondit que Yolande avait assassiné Agnès, et en raccrochant se demanda si en effet cette ordure vivante n'avait pas empoigné Agnès et ne s'en était pas allée l'étrangler quelque part ou la jeter sous les roues d'une Rolls émirale. Traînant devant la baie, elle aperçut Mme Broussais qui, des jumelles à la main, sondait les herbasses du chantier. Le cœur battant, incapable de bouger, elle suivait chaque geste de l'exploratrice dont elle partageait l'espoir. Mais celle-ci revint sur ses pas et s'engagea dans la cour pour regagner l'immeuble.

— Alors ?

Mlle Beaunon, qui avait levé la vitre, se penchait, anxieuse, mais déjà prête à recevoir une réponse négative.

— De ma fenêtre, j'avais cru la voir à la jumelle, mais sans doute m'étais-je trompée. Je vous appellerai tout à l'heure.

Frileusement, elle laissa redescendre la vitre qui la protégea contre un air gris et brumeux. Elle avait toujours eu à ce point l'horreur du froid que, petite, elle imaginait l'enfer non comme le brasier qu'on lui proposait, mais comme une banquise balayée par un vent polaire.

Quand de nouveau le téléphone résonna, elle décrocha avec une fureur dont elle ne savait pas contre qui elle était dirigée, et fut surprise par la présence d'une voix qu'elle n'identifiait pas. Elle espéra. C'était M. Grive, le philatéliste. Il avait trouvé Agnès dans la rue. Elle était couchée sous la pluie, toute petiote.

Pour tromper son impatience, elle but d'un trait un verre de porto (elle en avait vidé deux bouteilles au cours de la semaine) dans l'espoir que ce liquide qui l'avait aidée à supporter sa peine l'aiderait à supporter sa joie. A la vue de M. Grive, elle ouvrit les bras, puis les mains, qu'elle referma sur un chat pour

l'abandonner aussitôt : il était blanc tacheté de roux.
Il atterrit, se ramassa, non pour bondir mais pour
enfouir en ses pattes liées, sous ses oreilles couchées,
une vie humide et tremblante.

— Ce n'est pas elle.

Elle ajouta :

— Mais il est trempé...

Elle courut vers une serviette et frotta cette loche
qui ne bougeait pas, collée au parquet. La loche se
laissa torcher et soulever, promenant un regard
absent issu d'yeux gris qui verdissaient au centre.

— Excusez-moi si je me suis trompé. J'avais cru
vous faire plaisir.

C'était un vieil homme qui, sans doute obsédé par
sa jeunesse, s'habillait en zazou, veste longue à
l'excès, revers de pantalon très large, col haut où la
cravate au nœud étroit était pincée. Il se pencha pour
ramasser la loche.

— Vous la gardez ?

— Ah surtout pas ! s'écria-t-il avec conviction. Je
m'en vais la remettre où je l'ai prise.

— Sous la pluie ?

— Peut-être qu'elle cessera. Ils ont dit que nous
allions vers un froid sec.

— Laissez-le-moi.

Dans son affichette, elle avait promis une récompense, elle crut que cet homme la soupçonnait de
chercher un prétexte pour se dédire.

— Ce n'est pas Agnès, articula-t-elle avec effort,
mais dites-moi à combien vous l'évaluez, cette récompense.

— J'ai agi par devoir, compassion, je n'attends
aucune récompense comme vous dites. Je ne suis pas
une fille publique, ajouta-t-il en se montant.

— Alors, il ne me reste qu'à vous remercier.

Pendant qu'il la repoussait en sortant, elle attirait la porte vers elle, de sorte que celle-ci claqua et qu'en se retournant elle trouva le minuscule chat inconnu dressé sur ses pattes, sans doute secoué par la détonation. Il fit quelques pas en s'ébrouant, puis miaula. Il miaulait parfaitement, contrairement à Agnès et prononçait, sur des notes cristallines, un véritable mi-a-ou. Il donnait l'impression qu'on lui avait fourni un modèle de miaulement, et qu'il s'évertuait à le reproduire.

La souffrance de Mlle Beaunon se compliqua ; elle ne regrettait plus seulement qu'Agnès eût disparu, elle se reprochait de l'avoir apparemment remplacée. Elle avait donné un abri à ce pauvre mi-a-ou qui, bien au chaud, au sec, se frottait au radiateur et sur des pattes encore chancelantes, amorçait la visite des lieux, mais au même instant, elle voyait Agnès grelottante dans une ruelle. Quand elle se fut décidée à ouvrir une des boîtes de lapin aux carottes qu'elle avait achetées pour accueillir le retour d'Agnès prodigue, elle se complut à admirer l'appétit du nouveau venu, tenaillée en même temps par l'image d'Agnès affamée. Elle ne trouva d'autre recours à son désarroi que la sagesse de Mme Broussais qui, au bout du fil, commença par se méprendre.

— Alors, vous l'avez retrouvée !

— Non, justement. J'ai fait une connerie, le sachant et ne pouvant m'en empêcher.

— Vous l'avez remplacée...

Elle avait contracté ses mâchoires pour engloutir un sanglot, elle peina pour ajouter :

— Je vous en supplie, ne dites pas ça.

— Bon. Je descends.

Le petit chat se sauva sous le lit à la vue de
Mme Broussais, mais celle-ci, d'une main experte, le
cueillit pour l'examiner à la lumière.

— C'est une fille. A cet âge-là, les vétérinaires se
trompent quelquefois, mais pas moi. Vous lui avez
donné un nom ?

— J'ai tendance à l'appeler mi-a-ou.

— Appelez-la Miaouche, c'est plus plaisant à
l'oreille.

Elle la déposa sur le parquet ; Miaouche prit
aussitôt ses distances, mais ne s'enfuit pas et s'arrêta,
campée sur ses courtes pattes, et balayant le parquet
de sa petite queue, les yeux braqués sur ceux de
l'étrangère qui continuait de l'examiner.

— C'est une enfant. Deux mois ou guère plus,
tandis qu'Agnès avait... a bien huit mois.

— Quand Agnès reviendra, elle sera contente
d'avoir une petite copine pour jouer dans la journée.

— Peut-être...

Il eût été difficile de savoir si le doute que contenait
cette brève réponse concernait le retour d'Agnès ou
sa bonne entente avec la nouvelle.

Journal de Gréard

.Lena, non je barre. Je ne veux pas commencer ce texte par son nom. Je reprends : les lettres que je reçois de Lena sont revendicatives. Elle souffre de la solitude. Sans Ghislaine peut-être me serais-je laissé attendrir. J'ai envoyé une réponse sèche et argumentée. Si Lena est seule c'est qu'elle l'a bien voulu car : 1) après tout c'est elle qui a demandé le divorce ; 2) c'est elle qui a poussé Philippe, agrégé et sur le point de soutenir sa thèse, à accepter l'offre d'une université américaine. Si notre fils est aux U.S.A. à qui la faute ? 3) si elle s'est brouillée avec sa mère c'est qu'elle l'a bien voulu en espérant consolider ainsi sa personnalité, c'est du moins mon hypothèse ; 4) elle n'a pas d'amis, je n'y suis pour rien.

Moi non plus je n'ai pas d'amis. Certains de mes collègues s'attardent à discuter avec moi sur le thème d'une de nos recherches, il arrive que nous bavardions à l'aventure et même que nous prenions un repas ensemble. Ça ne va pas plus loin. Au lycée j'ai eu un ami, il habite Marseille, nous nous écrivons une fois par an. Mon frère n'est pas un ami, il n'a jamais admis

que ma mère me préfère à lui. Pendant mon service
militaire j'ai eu des copains que j'ai crus éternels,
nous ne nous sommes jamais revus. Mais je ne me
plains pas. Aujourd'hui je m'en félicite. Un ami me
déroberait un temps que je consacre à Ghislaine. J'ai
beaucoup téléphoné. Je bredouillais non pas d'espoir
mais de confusion. Je me savais indiscret et malencon-
treux. Chaque fois je lançais une phrase informe à
travers laquelle j'essayais de faire comprendre que,
sans doute m'étais-je trompé, je cherchais une amie,
Ghislaine de Beaumont dont j'avais perdu les coor-
données. De plus je bredouillais parce que lorsque
Ghislaine s'était présentée je n'avais pas exactement
senti la présence de la particule. Il me fallait donc
exécuter un dérapage entre le prénom et le nom. J'ai
été éconduit de diverses manières. Peut-être les voix
les plus hautaines appartenaient-elles à des domestiques. Plusieurs voix ont été aimables, on a regretté de
ne pouvoir rien pour moi. Dans l'annuaire j'avais
trouvé un Ghislain de Beaumont, je ne l'ai pas appelé
estimant qu'il était peu probable qu'il eût épousé une
Ghislaine ou qu'il eût donné ce nom à sa fille. Mon
dernier appel a présenté un relief inattendu. A peine
avais-je commencé de parler que j'ai été interrompu
par une exclamation où dominait le bonheur.

— Ha! Georges-Etienne, enfin! tu es un vrai
salopard. Tu ne peux pas savoir quel sang d'encre
nous nous sommes fait.

J'aurais dû interrompre aussitôt ces expansions de
joie et de soulagement. Mon interlocuteur aurait
admis qu'il avait été abusé par la ressemblance de
deux voix et aurait digéré sa désillusion. Je n'ai pas
osé. J'ai accepté de venir dîner le lendemain et même
de passer le week-end. J'étais tout rouge. Après avoir

raccroché j'ai pris une feuille de papier et une enveloppe. Je n'étais même pas assez vaillant pour écrire une vraie lettre et la signer. J'ai rédigé un bref communiqué : « Monsieur L. Beaumont est informé que c'est par erreur qu'il a pris pour Georges-Etienne la personne qui lui a téléphoné. Il est donc inutile d'attendre Georges-Etienne pour dîner », après lecture j'ai tout de même ajouté : « tous mes regrets ». Je suis certain que ce pauvre homme va rester persuadé qu'il a bien eu Georges-Etienne au téléphone et que celui-ci use d'un étrange procédé pour se dérober. Cet accident m'a complètement dégoûté de la recherche téléphonique. D'ailleurs si Ghislaine ne m'a pas donné son numéro, c'est qu'elle considère sans doute que mon appel présenterait des inconvénients. Je dois respecter son souhait et trouver un autre moyen de la joindre.

Elle est incontestablement très liée avec les gens chez qui elle dînait à la fin de cet extraordinaire dimanche. J'en retiens deux preuves : a) elle arrivait très tôt chez eux ce qui implique des relations détendues, b) elle a acheté des victuailles pour contribuer au dîner comme il arrive entre parents ou amis très proches. Conclusion : elle doit venir assez souvent dîner dans cette famille. Je ne sais pas pourquoi j'imagine une famille mais j'arrive aussi facilement à voir une vieille amie de Ghislaine, une camarade de collège qui est divorcée et donne des leçons d'espagnol. Tout ce qui touche, même fictivement, à Ghislaine m'agite à l'infini et je peux passer une nuit à inventer son atelier de peinture sur soie, ses amis, sa fille, son passé.

Mon plan d'action est tout tracé. Chaque dimanche je m'embusquerai rue de Vaugirard de façon à

surveiller les abords du traiteur qui est facile à
retrouver, il porte le nom d'un compositeur moderne,
Ravel, je crois. Je me demande si je ne devrais pas
accepter la direction du bureau de synthèse qu'on me
propose à Paris. Bien sûr j'aimais assez mes petites
équipées maritimes de Gravelines mais à Paris je
pourrais veiller tous les jours devant Ravel car à la
réflexion rien ne me prouve qu'elle se rende uniquement le dimanche à ces dîners. Donc j'accepte mon
changement de poste et j'en profite pour prendre les
quinze jours de congé auxquels j'ai encore droit.
L'après-midi j'irai au musée Rodin puisqu'elle semble
avoir l'habitude de le fréquenter.

Un journal est utile. En écrivant j'ai rassemblé mes
idées et la solution s'est dessinée d'elle-même. Je
viens de réussir un grand pas vers Ghislaine.

Je reprends ces notes pour signaler un événement
et en éclaircir, s'il est possible, les suites. L'avant-
dernière nuit j'ai été réveillé par la tempête. L'explosion des vagues dominait le sifflement des rafales dans
les branchages du petit jardin. La tempête importait
peu. Ce n'était pas elle qui avait brisé mon sommeil.
Je rencontrais la certitude absolue que Ghislaine me
serait rendue. Au bout d'un moment je me suis même
persuadé avoir réellement entendu la voix qui m'en
assurait. Mais je n'aurais pu préciser la nature de
cette voix dont je ne savais pas même si elle était
masculine. Trop heureux pour me rendormir je
savourais cette certitude chérie. Il me revint en
mémoire que parfois Socrate écoutait la voix de son
démon intime qui à l'improviste le conseillait. J'avais
aimé Socrate qui m'atteignait plus vivement qu'un
prophète comme Jésus ou un philosophe comme
Descartes. Lena, pour employer son expression, avait

« mis le holà ». Elle craignait que Socrate me rame-
nât à Dieu ou du moins qu'il m'éloignât de cette
discipline qui fait la force principale du chercheur
comme du militaire. Je suis devenu en effet pareil à la
cible de Socrate, à cet Hippias qui sait tout et tout
faire et ne sait rien. J'ai préféré le culte de la
connaissance encyclopédique et des techniques du
savoir, du faire, du savoir-faire et du faire savoir à une
connaissance de moi qui m'amenait à la connaissance
de l'homme donc à celle de Dieu puisque Dieu
commence là où l'homme finit. Ghislaine, tu vois où
l'amour m'a conduit : à rêver de toi, à travers Dieu et
la bourrasque.

Le huitième dimanche

Donner une caresse ou la recevoir et le payer d'un remords, Mlle Beaunon était la prisonnière de cette situation. Le lundi à l'heure du déjeuner elle était venue tenir compagnie à Miaouche et n'avait cessé de penser à Agnès. Rares avaient été les moments où elle avait réussi à profiter du présent et à se laisser submerger par les câlineries de Miaouche. Sans doute parce qu'elle était plus petite, celle-ci était plus tendre qu'Agnès et malgré la pâleur de ses yeux plus gaie.

Le mardi, décidée à limiter l'ampleur de sa trahison, elle s'interdit de revenir chez elle mais ne tarda. pas à considérer son absence comme une injustice qu'elle rumina pendant tout l'après-midi.

Il lui était nouveau dans sa carrière professionnelle de commettre des fautes et d'encourir des reproches. Jusqu'alors scrupuleuse, elle admit les fautes et encaissa les reproches. Le soir elle retrouvait, c'était délicieux et horrible, la fraîcheur du nez d'Agnès sur celui de Miaouche.

Le dimanche matin Miaouche qui avait pris l'habitude de lui téter l'oreille et de dormir blottie sur son épaule lui donna des tapes pour l'éveiller. Elle ne tenait pas tellement à manger, elle avait envie de jouer. Mlle Beaunon la poursuivit en criant :

— Je t'attrape ! Je t'attrape...

Puis elle lui lança la balle d'Agnès et l'on peut penser à quoi elle pensait en jetant la balle d'Agnès pour amuser jusqu'au délire Miaouche qui, quand elle avait assez couru, serrait la balle sur son cœur, se roulait avec elle sur le parquet ou, couchée sur le dos, la soulevait à deux pattes comme un haltère.

Quand dans l'après-midi la sonnerie du téléphone intervint, Mlle Beaunon décrocha avec l'espoir de libérer contre sa sœur ou contre Yolande, responsable de tous ses maux, une haine vocale qu'elle tenait en réserve, inexploitée. Mme Broussais voyait Agnès. Elle avait été alertée par la gardienne qui pendant les dernières nuits avait entendu la mélopée d'un chat dans le chantier. Depuis plusieurs heures elle tenait ses jumelles braquées. Agnès avait apparu, disparu, elle allait et venait, elle était bien reconnaissable même lorsqu'elle se dissimulait dans les herbes que sa queue fouettait comme une couleuvre.

N'ayant pris que la peine d'enfiler son manteau Mlle Beaunon courut vers l'ascenseur. Dans la cour elle fut rejointe par Mme Broussais qui, ayant mis un doigt sur ses lèvres, l'entraîna vers la gauche du chantier. Elle la suivit le long d'une fosse jusqu'à une plate-forme de béton qu'assiégeaient les herbes. Malgré le vœu de silence qu'elle avait formé Mme Broussais glapit :

— Agnès ! Tu es là, viens, je te vois.

— Mais où la voyez-vous ? Je ne la vois pas.

— Moi je la vois.

Dans un soupir elle murmura :

— Agnès.

Celle-ci suivait une crête de béton, d'une démarche précise. Elle sauta pour gagner un terre-plein. Elle modulait un gémissement dont le thème se répétait inlassable.

— Elle souffre !

— Elle est en chaleur, grâce à quoi la gardienne l'a entendue. Dirigez-vous vers elle doucement, elle vous reconnaîtra, appelez-la, dites-lui des choses que vous avez l'habitude de lui dire. Pendant ce temps j'exécute un mouvement tournant.

Agnès était parvenue sur les pavés de la cour ; elle secouait ses pattes, la mine attentive et dégoûtée. L'air était clair, imbibé d'un rayonnement pâle, juste un peu brumeux ; la fourrure d'Agnès était brumeuse aussi, et rayonnante. L'air et le chat s'harmoniaient pour vibrer avec limpidité et tout ensemble s'effumer. Derrière elle Mme Broussais avançait sans bruit, évitant même de la regarder comme si elle risquait d'être transformée en statue de sel. Mais la capture d'Agnès n'exigeait aucune stratégie car, détachant ses pas et secouant à chaque enjambée une patte ou une autre, elle se dirigeait sans hâte vers Mlle Beaunon qui n'eut plus qu'à se pencher. En se penchant elle mourait de peur. Elle croyait qu'à la dernière seconde la chatte s'enfuirait vers le dédale du chantier et les terres inconnues. Poussée à la hardiesse par l'amour, Mlle Beaunon saisit la fourrure, la posa sur sa poitrine, ses yeux rencontrèrent, à quelques centimètres de distance, les yeux bleu marine et un ronronnement lui prouva que ce monde était le meilleur des mondes possibles. Son cœur jusque-là retenu se libéra, s'emballa, s'évada comme un forcené.

Elle se retrouva dans les bras de Mme Broussais qui la soutenait, l'étreignait de sorte qu'Agnès, écrasée entre elles, miaula comme à son habitude en poussant quelques brefs appels d'oiseau puis, encouragée par sa propre voix, s'abandonna à une nouvelle modulation.

— Le bonheur ne tue pas, disait Mme Broussais sur le ton de la certitude, comme elle aurait énoncé que la plus-value capitaliste provenait de l'exploitation des travailleurs.

Au moment d'entrer dans l'ascenseur Mlle Beaunon cessa net de caresser et de frictionner Agnès, jeta un cri et s'expliqua d'une voix haletante :

— J'ai laissé les clés chez moi !

— La gardienne a bien le double ?

La semaine précédente Mlle Beaunon avait fait changer sa serrure pour interdire toute nouvelle invasion à Yolande. Elle se demanda si elle avait déposé le nouveau double dans la loge. Elle en avait formé le projet mais l'avait-elle exécuté ? Cette femme dont la mémoire avait toujours été implacable doutait maintenant d'elle-même. Enfin une image lui revint, celle de la gardienne, vêtue d'un chandail et d'un pantalon rouges, recevant le trousseau qu'elle avait accroché dans un placard orné d'un poster représentant une montgolfière. Un instant elle s'était imaginée dormant dans l'escalier avec Agnès.

Mme Broussais frappa et entra la première dans la loge, assumant la direction de la manœuvre. Elle eut le sang-froid de présenter d'abord des félicitations et des remerciements que, dans son désarroi, son amie n'aurait pas pensé à formuler.

— Grâce à vous et à la finesse de votre vue Agnès est retrouvée !

Agnès frotta son front à l'épaule de la gardienne et reprit son incantation.

— De la cour, point n'était besoin d'une oreille de Sioux pour l'entendre cette petite bête ! Dites donc qu'est-ce que vous devez être heureuse !

— C'est-à-dire qu'elle n'en est pas encore revenue ! assura Mme Broussais qui acceptait pleinement son rôle de porte-parole. Et figurez-vous que quand je l'ai appelée elle est descendue au galop en oubliant ses clés.

La gardienne ouvrit le fameux placard en assurant que « l'immeuble serait bien content ».

— C'est si souvent qu'ils m'ont demandé si la chatte était récupérée. M. Grive annonçait partout qu'il vous l'avait rendue mais vous disiez que ce n'était pas la même. Les gens avaient du mal à s'y retrouver.

Depuis l'après-midi où elle avait fait appel à ses voisins Mlle Beaunon avait été étonnée par les marques de sympathie qu'elle avait reçues d'êtres dont les visages lui étaient confusément connus sans qu'elle ait jamais cherché jusqu'alors à les regarder. Elle ne s'était liée d'amitié qu'avec Mme Broussais. Manquant d'imagination elle avait cru vivre dans un immeuble peuplé de silhouettes et découvrait brusquement des caractères et des sentiments, soupçonnait les relations possibles que son manque de sociabilité lui avait interdites.

En la laissant devant sa porte Mme Broussais l'embrassa et lui promit de l'appeler dans la soirée. Le trésor était enfin à l'abri. Mlle Beaunon donna deux tours de clé dans la serrure comme si Agnès sans cette précaution eût été capable de s'enfuir encore. Celle-ci entrait chez elle, en propriétaire, sans se donner la peine de procéder à une inspection. Elle se logea d'abord contre un radiateur et laissa Mlle Beaunon lui essuyer les pattes avec une serviette. Elle lui lécha tranquillement la joue. Elle avait maigri mais surtout grandi ; des jambes de girafe.

— Comment as-tu vécu ? Mais tu dois mourir de faim !

Au bruit du réfrigérateur qui s'ouvrait elle accourut. Mlle Beaunon emplit l'assiette et, avec béatitude, la regarda dévorer. Cette double félicité fut interrompue par Miaouche. Il fallut que Mlle Beaunon admît qu'elle avait momentanément oublié l'existence de cette Miaouche qui surgissait en miaulant : « j'existe, moi aussi ». Agnès, qui pour manger s'était accroupie, se dressa. Sa fourrure se gonfla. Elle cracha en ouvrant une gueule terrible sous des yeux étincelants puis elle émit un grondement régulier qui laissa Miaouche pantoise. D'abord elle avait approché son nez pour frôler celui de la nouvelle venue puis la considérant comme dangereuse elle recula, plus étonnée qu'hostile. Agnès après avoir amorcé une poursuite se ravisa et remit son nez dans son assiette, elle était bien décidée, contrairement à son habitude, à dévorer jusqu'à la dernière miette pour affamer sa rivale. Celle-ci assise sur le parquet la regardait avec perplexité. Agnès prit à peine le temps de se lécher les babines, elle se rua à l'attaque. La poursuite se termina sous le lit où Agnès fit mine de se faufiler aussi puis renonçant à se hasarder dans ce terrier opta pour l'attente et se tint immobile prête à bondir. Quand Mme Broussais appela, la situation ne s'était pas modifiée. Condescendante comme un expert qui s'adresse à un profane elle voulut bien expliquer à son ignorante amie que si les deux chattes étaient arrivées ensemble dans la maison elles s'entendraient à merveille, alors qu'Agnès, malgré sa fugue, se considérait comme la maîtresse des lieux et tenait pour un outrage la présence de ce petit monstre inconnu.

Le monstre au bout d'un quart d'heure montra sa tête et la rentra aussitôt pour éviter le coup de griffe d'Agnès. Puis celle-ci cessant tout à coup de monter la garde se mit à se rouler sur le parquet les pattes en l'air en reprenant son chant roucoulant et plaintif. Elle parvenait à ramper sur le dos. Inquiète Mlle Beaunon se permit de rappeler l'experte qui assura que le comportement de cette chatte était normal ; une chatte en chaleur s'abandonne totalement à la lascivité pendant parfois une heure et jette ses appels désespérés dans l'espoir d'attirer l'attention d'un mâle.

— Comme c'est curieux ! Je n'en reviens pas. Imaginez que les femmes subissent de la nature les mêmes astreintes ! Dans la rue, dans le métro, au bureau on côtoierait des femmes glapissant et roucoulant, ondulant de la croupe, se frottant aux objets et aux gens. Le paysage social serait tout autre.

— Il n'y a que vous ma chère pour inventer des élucubrations pareilles, je me demande où vous allez les pêcher, répondit sévèrement Mme Broussais qui était prude.

En raccrochant Mlle Beaunon vit avec inquiétude Miaouche se hasarder hors de son refuge. Mais Agnès, d'abord, ne lui prêta aucune attention. Elle continuait de chanter, de se rouler en se trémoussant et de frotter sa tête aux pieds de Mlle Beaunon et aux pieds du fauteuil, indifféremment. Quand elle se redressa ce ne fut pas pour livrer bataille. Même elle laissa Miaouche s'approcher ; la petite frôla de sa joue celle de la grande qui en parut satisfaite. Un moment, il fut légitime d'espérer que la réconciliation était scellée. Mais comme on s'arrache à un songe Agnès se cambra, fixa son ennemie cependant que sa plainte cristalline se transformait en un grondement. De nouveau elle chargea et de nouveau Miaouche se réfugia sous le lit. Mlle Beaunon fut réduite à glisser vers elle une assiette bien remplie, une coupelle d'eau et pour son confort un petit coussin.

Agnès n'avait pas cherché à empêcher le ravitaillement mais, tantôt immobile, tantôt déambulant, pareille à un factionnaire sous les armes elle maintenait sa garde. Mlle Beaunon décida de leur exposer la situation en les prenant à part l'une après l'autre. D'abord elle s'allongea pour obtenir l'attention de Miaouche dont elle distinguait la robe claire dans la pénombre.

— Elle était ici avant toi. Elle se croit chez elle et te considère comme une voleuse qui lui a pris sa place. Il faudrait que tu la comprennes.

Ayant longuement insisté sans obtenir de Miaouche le moindre mouvement elle se redressa pour convaincre Agnès.

— Tu t'étais sauvée. Je t'ai cherchée partout. J'en ai parlé à tout le monde. J'ai même collé des affiches. Alors on m'a apporté une chatte perdue, j'ai eu pitié d'elle, je l'ai prise en croyant que vous joueriez ensemble à ton retour mais je ne t'avais pas oubliée.

Allongée, les oreilles couchées, les pattes enfouies sous elle, la chatte subissait ce discours avec indifférence. Elle écoutait sans chercher à comprendre, butée. Mais pouvait-elle entendre ? Mlle Beaunon pour s'exprimer usait d'un code qui leur était à peu près étranger. Sans doute percevaient-elles, à travers les nuances des intonations, une impuissante amitié qui écœurait ces deux passionnées. Mais les mots qui seuls détenaient le pouvoir de démontrer et d'éclairer leur échappaient.

Mlle Beaunon et l'incommunication

Elle avait entendu railler ce terme par Paul Bâche et Juaurez mais elle n'en trouvait pas d'autre pour désigner l'incapacité à se faire comprendre dont elle souffrait. Pendant sa jeunesse elle avait déjà rencontré cette carence dans les relations de son père et des autres car, l'âge venant, il substituait de plus en plus souvent au langage un idiome fait de mots français que l'absence de contexte privait de signification. Quand, agité par un rêve ou victime d'un leurre, un des coqs chantait la nuit, le père avait commencé par vociférer : « Un coq pareil mérite comme Mata-Hari d'être fusillé dans les fossés de Vincennes. » A force de simplifier il criait seulement : « Mata-Hari. » Ses filles comprenaient mais les hôtes de passage et même la tante Claire restaient sur leur perplexité. Il arrivait qu'une des sœurs les aidât à décrypter le message mais elles en furent bientôt lasses car les simplifications se multipliaient et chacune aurait exigé un historique que souvent l'une et l'autre n'étaient plus capables de tracer.

Pour annoncer une brève absence il avait lancé : « Encore un peu de temps et vous ne me verrez plus, encore un peu de temps et vous me reverrez » non sans avoir précisé, une fois pour toutes, pour éclairer la lanterne de ses filles, dans quelle circonstance ce propos avait été tenu par le Christ. Puis il se borna pour annoncer son absence à hurler : « Jésus ! » ce qui hébétait les témoins. S'absentait-il pour une plus longue durée, il murmurait sur le ton de la confidence : « Je

*m'en vais ou je m'en vas. L'un ou l'autre se dit ou se
disent. »* Il avait daigné raconter à ses filles comment
Vaugelas avait fait ce mot sur le moment de mourir.
Bien sûr il avait fini par ne plus chuchoter que
« Vaugelas. » De même, parce qu'un plombier qu'il
appréciait était bègue, il l'appela d'abord « le bègue »
puis « l'estimable bègue », « le tout à fait estimable
bègue » et pour finir « le tout à fait », de sorte que l'un
de ses amis s'étant plaint de sa tuyauterie il l'avait
rassuré ainsi : « Je vais vous donner l'adresse de mon
tout à fait en qui vous pouvez avoir confiance car avec
les tout à fait d'aujourd'hui on ne saurait trop se méfier,
il y en a plus d'un qui ne demande qu'à vous rouler
dans la farine, le mien je vous le garantis. » Il finissait
par peupler sa conversation de termes indéchiffrables
aux autres qui se perdaient dans des airs absents ou
d'inquiètes approbations inspirées par la politesse.

Une seule fois, parce que ce soir-là il avait plus que
de coutume abusé de son répertoire, qu'elle avait dix-
huit ans, c'était sa première audace, elle osa lui
demander pourquoi il éprouvait le besoin de prononcer
des paroles inaccessibles à ses auditeurs. Stupéfait, il
avait enfin demandé des exemples, des preuves puis
s'était esclaffé : « Mais ce sont des métaphores, ma
pauvre enfant. Quand Chateaubriand écrit la reine des
nuits, on comprend qu'il s'agit de la lune. Il en est de
même des néologismes : un conseiller général ayant
déclaré, à l'inauguration d'un de mes monuments, que
Beaucon avait héroïsmé la pierre, et un journaliste du
cru l'en ayant raillé, il a répliqué que la naissance des
néologismes entretient la bonne santé de la langue. »

Quelques minutes avant que sa mort ne fût constatée
il avait proféré sans ouvrir les yeux : « Vaugelas est un
con ! » Grâce à leur connaissance du code les deux

sœurs, pour une fois d'accord, estimèrent qu'au moment où il effectuait ce passage il reprochait à ce Vaugelas d'avoir pu se montrer puriste et drôle en trépassant. Au prêtre légèrement surpris elles renoncèrent à détailler la gradation qui seule pouvait rendre intelligible cet ultime propos.

Elle n'essaya plus de les convaincre, se dispensa de dîner sous prétexte que l'heure en était passée, se coucha bien que l'heure n'en fût pas venue, laissant Agnès allongée sur le fauteuil, les yeux à demi fermés, vigilante ; sous le lit Miaouche ne bougeait pas d'un poil. Dans l'obscurité parvenait à travers le mur la querelle d'un homme et d'une femme dont le son avait le grain particulier à la télévision. Ces comédiens qui s'accablaient d'insultes et de reproches ne pouvaient entrer dans leur rôle au point d'éprouver les sentiments des personnages et sans doute pensaient-ils à tout autre chose qu'à ce qu'ils disaient. Elle savait depuis longtemps qu'entre deux personnes qui bavardent amicalement il demeure des zones secrètes, l'une raconte un fait divers alors qu'elle a envie de faire pipi, l'autre, tout en approuvant, se rappelle qu'elle a oublié de mettre une lettre à la poste et en mesure les conséquences ; apparemment elles s'intéressent l'une à l'autre, et toutes deux au fait divers. Peut-être le dialogue hostile des deux chattes dissimulait-il également d'autres préoccupations et amorçaient-elles connaissance sous le masque de la haine et de la peur.

Au milieu de la nuit elle put le croire. D'abord le corps d'Agnès s'appesantit contre sa hanche, puis le poil de Miaouche lui enveloppa le cou. Elle s'assoupit de liesse. Mais le jour était à peine paru, blanc, incapable de donner sa couleur à une surface, qu'elles émergèrent de leur quiétude et reprirent la guerre. La trêve était finie. Au montage elle avait rencontré un cameraman qui, ayant travaillé dans la jungle et l'océan, reconnaissait que pour tourner il avait profité de ces trêves où le tigre va boire au ruisseau près d'une biche, où le requin frôle sa nourriture favorite qui nage sans souci à ses côtés. Puis une électricité parcourait l'air ou l'eau et le moment était venu de fuir vers le campement ou vers la surface de la mer, le carnage commençait.

Dans une clarté croissante la bataille se poursuivait à travers toute la pièce. Elles avaient écrasé contre la porte le tapis caucasien réduit en boule, culbuté tous les animaux sauf, heureusement, le caribou situé trop haut, renversé une assiette, cassé la coupelle d'opaline dont l'eau ruisselait. Elle savait qu'elle s'abstiendrait d'aller au bureau. Elle regardait sans trop chercher à voir. Elle assistait au sac de son appartement comme, dans un film, elle aurait assisté au sac de Rome, du Palatinat ou du palais d'Eté.

Il lui fallut un quart d'heure pour trouver la force de se lever. Quand elle posa les pieds sur le parquet, elle fut récompensée par une brève satisfaction : en usant de son énergie pour se dominer, elle s'était donné le sentiment d'exister. Elle ne prouvait pas son existence par la pensée comme Descartes, mais par l'effort comme Maine de Biran, ignorant le nom du second, mais connaissant celui du premier grâce à une rue montante située dans le 5e arrondissement.

Journal de Gréard

. A seize ans j'ai été assez sincère donc naïf pour demander à mon professeur d'histoire naturelle pourquoi nous avions les yeux en face des trous. Cet homme qui m'estimait fut déçu, me le marqua puis la conversation s'était poursuivie dans l'escalier du lycée et dans la rue. Troublé comme un prêtre qui avouerait une incertitude à un enfant de chœur, il en vint à reconnaître qu'il lui arrivait, vieillard voué au culte de l'A.D.N., grand détonateur de la vie, elle-même succession de gaffes triées par la réussite, de se demander si la science n'obligeait pas ses adeptes à se soumettre à des croyances comme la religion. Ce long discours encombré est pour toi, Ghislaine. Si tu l'entendais tu te moquerais. Tu t'es moquée de moi au musée Rodin et tu avais raison mais en cette circonstance j'étais cuistre. Aujourd'hui je me laisse aller. Lena m'a toujours empêché de me laisser aller. Littéraire de formation c'est elle qui m'a constamment rappelé aux règles de l'attitude scientifique car elle est de ces littéraires qui ne voient dans un texte que contexte, filiations, influences, variantes, qui ne se régalent jamais.

Dans toute patte je lisais le rêve, le souhait d'être une main. Seul, j'aurais tenté de donner une forme à mes impressions. Lena me voulait au C.N.R.S. Je suis donc resté dans le sein de la religion en me consacrant à des détails où j'ai pris plaisir. Je regrette de n'avoir pu me consacrer aux algues. Résignées à une vie marine ou semi-marine elles me dispensaient de rêver. Rien à voir avec ces insectes aptères qui de marins se débrouillent pour devenir terrestres et, à peine terrestres, ont l'idée de voler et l'exécutent. Avec les algues j'étais tranquille. Puisque tu peins sur soie, j'ai dans mes cartons des dessins d'algues qui te fourniront des thèmes. La multiplicité mélodieuse des formes qu'elles ont adoptées t'inspirera. Le soir je te raconterai l'histoire éternelle de l'algue bleue.

L'algue bleue, mon chéri, se maquille pour aller au bal. Elle masque la chlorophylle sous le phycocya-nine, un pigment bleu. Dans mes rapports je suis obligé d'appeler cyanophyte cette belle inclassable qui du point de vue cytologique se rapproche des bactéries de sorte que selon les auteurs on la retrouve soit en marge des algues soit en marge des bactéries sur la frange d'un embranchement des schizophytes. C'est une rebelle, une gitane, une fugueuse solitaire. Mon amour pour toi se fond en mon amour de l'algue bleue. Tu as évoqué ta fille, tes amis mais je te crois solitaire et capable de peupler ta solitude toi-même, tout comme l'algue bleue. Un de mes collègues en a enfermé une dans un bocal en compagnie de quelques minéraux stérilisés, il a fait le vide dans le bocal qu'il a laissé exposé à la lumière du jour et il a constaté, au bout d'un an, que l'algue bleue vivait et s'était multipliée et que le vide était occupé par un mélange d'oxygène et d'azote. Elle avait donc créé une atmosphère respirable. Etant admis qu'à ses débuts l'air terrestre ne contenait pas l'oxygène qui est nécessaire à la vie, on peut supposer qu'en fabriquant le sien l'algue bleue fut aux origines de la vie et que lorsque le soleil s'éteindra l'algue bleue qui a le privilège d'assimiler les rayons infrarouges sera sur la planète la dernière créature vivante. Je sais que toi aussi tu reçois des radiations auxquelles les autres demeurent imperméables et que tu es assez forte pour te constituer toute seule un univers à ton usage.

La semaine prochaine commenceront les vacances que je passerai à Paris. Je t'attendrai et je te trouverai. Hier dimanche je me suis rendu au musée Rodin où je me suis attardé devant *Iris messagère des dieux*. La mémoire lorsqu'elle est entraînée par l'émotion a un pouvoir inquiétant. J'ai retrouvé exactement, alors que le ciel était gris, la qualité de la lumière qui te baignait quand je t'ai vue la première fois, la couleur des shorts et des cuisses des trois jeunes Anglaises et jusqu'au timbre de ta voix. Si je n'avais pas été convaincu de te revoir bientôt l'intensité de ce souvenir m'aurait fait mal. Mais je crois au succès de mes efforts et à ma chance. Depuis ma jeunesse il ne m'était plus arrivé de croire à ma chance. J'ai eu celle de trouver une place libre devant Ravel qui s'appelle Debussy. Le magasin n'a pas changé, dans le même uniforme vendeurs et vendeuses accomplissent les mêmes gestes devant des clients qui marquent les mêmes hésitations et se servent de l'index pour désigner l'aliment qu'ils choisissent. Mais l'électricité brillait qui me prouvait le raccourcissement des jours donc le temps écoulé. J'ai eu des défaillances : trop d'illusions déçues. Il est vrai que je croyais reconnaître Ghislaine dès qu'apparaissait une femme en pantalon. Il y a tant de visages dans une ville comme Paris que par instants je désespérais de jamais retrouver le visage chéri, parmi tous ces visages. Puis la confiance me revenait au galop mais alors je m'inquiétais de l'expression que prendrait ce visage à ma vue. Si comme l'algue bleue Ghislaine se suffit à elle-même elle n'éprouvera nul besoin de m'aimer et mon insistance l'importunera. Mais il n'est pas nécessaire qu'elle m'aime, je me sens la force d'aimer pour deux. Il est sûr qu'elle se plaisait à ma conversation et à mes caresses.

Il arrive que je sois honteux de la part que tient le désir dans ma passion. Au musée Rodin les corps de femmes (sauf *la Belle Heaulmière !*) me rappelèrent tous par un détail le corps merveilleux de Ghislaine. Celle-ci m'a rendu sensible aux femmes que je croise dans la rue. C'est son corps que je convoite à travers les autres corps. J'éviterai de le lui montrer trop vite. Peut-être, moi le grand timide, ai-je été trop expéditif lors de notre rencontre, mais j'avais perdu la tête parce qu'arrivé à un âge où la besace glisse en arrière, où les souvenirs engrangés sont plus lourds que les souvenirs à espérer, je goûtais en quelques heures plus de bonheur que pendant une vie.

Depuis que tu m'as séduit je ne peux comprendre qu'on aime une autre que toi. Je redoute donc que tu ne sois l'objet de trop d'hommages pour me laisser une place. Mais puisque je te prête l'indépendance d'une algue bleue, je te suppose trop indifférente aux autres pour accepter facilement leur attachement et mon espoir compte sur ma ténacité. Et puis tu es une faiseuse de miracles : tu m'as fait oublier que je n'étais pas beau.

Dimanche à perpétuité

Rien ne s'était produit par sa volonté ni contre elle. En moins de deux semaines Mlle Beaunon avait rompu avec un appartement et un bureau où sa vie s'écoulait depuis vingt-cinq ans.

Le camion de déménagement avait tout juste trouvé place devant la maison sur le terre-plein. Son capot frôlait le tronc d'un petit arbre, ses pneus écrasaient les hautes herbes. Sa masse cachait la maison à Mlle Beaunon assise sur le muret. Elle avait déjà déballé beaucoup de cartons et inactive croyait qu'elle se reposait. Pour ouvrir les paniers où s'impatientaient Agnès et Miaouche elle attendait que les déménageurs fussent partis. Ils s'essoufflaient à hisser dans leur camion les meubles dont elle débarrassait sa nouvelle maison, bahuts défoncés, chaises bancales. Ils terminèrent avec le réfrigérateur sans doute inutilisé depuis longtemps, inutilisable en tout cas. Mlle Beaunon avait fait transporter le sien. Le camion était bien grand pour le peu qu'elle avait conservé : outre le réfrigérateur, une télé, des radiateurs, des coussins, le tapis de prière écorché par les griffes, le piédestal, le fauteuil, la collection d'animaux, du linge et des vêtements, des couverts hérités de son père, les cartons à dessin où étaient serrés les reproductions de tableaux et le journal de ses entretiens avec Paul Bâche. Le passé ne pesait pas lourd et elle arrivait en leste équipage.

Seule la table s'était révélée encombrante. Trop longue pour prendre le virage du corridor elle avait été introduite dans la troisième pièce par la fenêtre ; elle ne permettait qu'à demi l'ouverture de la porte. Les animaux restèrent entassés pêle-mêle dans les sacs poubelle où ils avaient été enfournés, sauf le coq dont la place était en plein air, sur l'herbe et le caribou que Mlle Beaunon ne considérait pas comme un animal. Elle l'avait transporté elle-même dans la 2 CV achetée à Mme Broussais, en compagnie de Laocoon et du vase de cuivre. Tous les trois régnaient de nouveau sur le piédestal. Ces objets du culte avaient voyagé entre le balai à cabinets que Mlle Beaunon avait dissimulé pudiquement et quelques bouteilles de vin dont l'efficacité était prudemment soutenue par des verres et un tire-bouchon. En entendant claquer le battant du camion elle se dressa, courut vers ses deux déménageurs pour leur offrir le verre de l'adieu. L'un était vieux, maigre, osseux, le regard délavé, l'autre un très jeune Noir, musclé et rond, beau, ne déplaisait pas à Mlle Beaunon parce que d'emblée elle lui avait plu. Le vieux s'insurgea :

— Vous nous avez déjà offert le déjeuner, vous n'allez pas...

Après cette protestation de pure forme il déboucha la première bouteille et emplit les trois verres. Mlle Beaunon avait caché sur le siège arrière de sa voiture une précieuse bouteille de porto.

Ils burent en échangeant des propos espacés et affables.

— Il y a du bon soleil ici, disait le Noir.

— Et du bon air, enchérissait le vieux, et une belle vue.

Et il montrait la Loire comme s'il l'avait faite.

Elle leur glissa dans les mains quelques billets, plus qu'elle n'avait décidé mais c'était de bon cœur qu'elle se laissait aller, ils avaient été très gentils et aussi bons compagnons que peuvent l'être des croque-morts de rêve. Ils se quittèrent très bons amis. Le camion disparut. Il ralliait la ville où elle avait passé sa vie.

Elle devait rentrer dans la maison, ouvrir les paniers pour libérer les chattes, les nourrir et les abreuver puis suivre leur comportement dans ce nouveau séjour. Elle s'attardait, toujours assise, le regard retenu par l'écoulement du fleuve. Elle n'avait conservé de son enfance qu'un souvenir fort, celui de l'ennui, puis, après la puberté, elle avait fait connaissance avec un enlisement plus aigu durant lequel elle éprouvait l'incompatibilité de son existence et du monde visible. Le plus souvent ce phénomène s'organisait au début de l'après-midi, au moment où le poids étale de la lumière d'août écrase une surface liquide ou herbeuse (ou terreuse, un tennis), offrant à Mlle Beaunon le spectacle d'un cimetière où il ne lui restait plus qu'à chercher sa place. Raisonnable et raisonneuse elle contestait ce vertige en le subissant ; il était absurde, elle ne doutait pas de cette certitude mais sa présence s'imposait avec une certitude encore plus puissante. Il était scandaleux que cet accident se produisît en novembre par une lumière encore vive mais allégée par l'automne et les approches du soir, apparemment dépourvue de tout pouvoir tyrannique.

Elle se rappela qu'une fois déjà elle avait été victime de cet effondrement, au milieu de l'hiver devant le jardin de Picpus qui allongeait sa neige sous un ciel éteint et se demanda si l'état dont elle rendait responsable un certain empire de la lumière ne prenait pas sa source dans un malaise préalable qu'elle n'avait jamais cherché à préciser. Elle chercha, profitant de l'oisiveté à laquelle, depuis peu, elle s'était condamnée, et trouva, ou crut trouver ce qui revient au même. Ayant bouleversé, sans l'avoir prévu, toutes les habitudes de sa vie, et en quelques jours, il était naturel qu'au terme de cette révolution elle regardât autour d'elle avec panique.

Il arrive qu'une idée, par elle-même fragile, en rencontre une autre d'une espèce différente à laquelle pourtant elle s'enlace et que toutes deux en s'associant à d'autres idées flottantes finissent par former un tronc puissant. D'abord avait surgi un appel téléphonique de Léone qui avait reçu avec satisfaction de bonnes nouvelles d'Agnès. Mlle Beaunon n'avait pas cru devoir préciser qu'Agnès usait de la terreur pour imposer son règne à Miaouche, que celle-ci, traquée, refusait maintenant toute caresse alors qu'auparavant elle était si tendre que les larmes vous en montaient aux yeux ; elle nichait sous le lit ou sur un lieu élevé, la table, une étagère, une tringle de rideau, surveillant Agnès qui en rôdant roulait les épaules et promenait un regard dur et triste où la petite, dépouillant sa candeur, apprenait la haine. Au cours d'un bavardage qui avait été assez bref, un simulacre de bavardage, une marque de politesse, Léone avait évoqué la vente de la maison de Lucé que Paul lui avait léguée et que peut-être Mme Tiffauge achèterait pour cent cinquante mille francs. L'idée de se substituer à Mme Tiffauge avait tout juste effleuré Mlle Beaunon mais enfin elle était née.

La deuxième liane avait poussé dans une longue salle aux cloisons de céramique blanche où le Dr Blaizois debout devant la table d'opération finissait de coudre une déchirure sur le dos d'Agnès fouillée par la lumière d'un projecteur et passablement abrutie par une piqûre. Blaizois ressemblait à Clemenceau dont M. Beaucon avait placé la photographie dans les cabinets, sous la chasse d'eau, par dérision peut-être ou par admiration ou à l'issue de l'une des associations indéchiffrables dont il était friand. Le vétérinaire avait le front du grand homme, les rides rancunières et agressives et surtout la moustache et le verbe autoritaires que des insultes traversaient par courtes rafales. Tout en travaillant il poursuivait son raisonnement : puisque l'abcès qu'il venait de vider était dû à une morsure de chat et qu'Agnès n'en fréquentait qu'un seul, Miaouche, cette dernière était incontestablement la coupable. « Mais docteur, Miaouche est au contraire persécutée par Agnès qui ne peut pas arriver à comprendre pourquoi, pendant qu'elle était partie, j'ai accueilli un autre chat », protestait Mlle Beaunon qui tenait les yeux baissés pour éviter d'apercevoir les doigts, l'aiguille et surtout la peau que la fourrure découvrait. « Mademoiselle Mélanie, prenez-la et mettez-lui son pansement. »

Rassurée par l'absence momentanée d'Agnès devant laquelle il était peut-être imprudent de prononcer trop souvent le nom de Miaouche, Mlle Beaunon reprit l'exposé des faits et du mystère qui les entourait mais Blaizois qui, après s'être lavé les mains, les essuyait méticuleusement l'interrompit d'un mouvement de sa serviette, comme on chasse une mouche, et adopta la physionomie confidentielle de Clemenceau donnant une interview en Vendée : « Les chats ne sont plus les chats et à peine ont-ils eu le temps de l'être : cette race apparue récemment, domestiquée presque aussitôt par les Egyptiens, a provoqué l'imagination des humains et a su en jouer. Attention ! Ne me faites pas dire ce que je ne veux pas dire, surtout que je ne sois pas aussi con que ceux qui ont prêté aux chats des calculs subtils et infinis. Grosso modo : ils ont été plutôt les victimes de nos songes, mais nous sommes leurs victimes aujourd'hui. Voulez-vous que je vous dise combien la France compte de chats par milliers d'habitants ? Non, d'accord : il y a deux sortes de connes, celles qui raffolent des statistiques et celles qui ne veulent pas les entendre. Vous ne voulez sans doute pas non plus que je vous dresse la liste des poètes que le chat a inspirés ? Il a été associé à la nuit, à la science, aux objets rares, au secret, aux orgies, au diable et à ses pompes. On ne l'a pas seulement brûlé pour sorcellerie au Moyen Age : au moment où votre cher Molière écrivait *le Misanthrope* on incendiait encore un chat à chaque fête de village. Les hommes ont été jaloux des chats parce qu'ils se savaient moins doués qu'eux quant à la souplesse et au mystère : ils leur enviaient des yeux insondables. De même ils crèvent les yeux des rossignols non pour qu'ils chantent mieux mais parce qu'ils chantent trop bien. Un pronostic psychologique relatif à un chat est donc très hasardeux. En ce qui concerne les vôtres il n'y a que trois hypothèses. Ou vous vous séparez de l'un des deux : chacun retrouvera son humeur antérieure. Ou vous les gardez et peut-être finiront-ils par s'accommoder l'un de l'autre, je dis bien : peut-être. Ou encore : vous déménagez de sorte qu'ils arrivent ensemble dans un nouveau séjour où aucun ne peut prétendre à cette priorité dont ils déduisent une primauté. L'idéal étant que vous trouviez une maison avec un jardin : c'est-à-dire assez d'espace pour que chacun puisse tracer son territoire et ignorer l'autre. Vous pourrez revenir chercher Agnès après-demain et je vous passerai des comprimés que vous écraserez dans sa pâtée. Et ne soyez pas trop tendre avec Miaouche qui, régnant seule, va croire qu'elle a gagné la partie. »

La troisième tige du futur tronc avait été provoquée elle aussi par un discours. Mme Verdurin, la secrétaire de la haute direction, avait convoqué Mlle Beaunon et lui avait tenu à peu près ce langage : « Le bruit de vos fréquentes absences, ma bonne amie, est parvenu jusqu'ici. M. Courtelaine est inquiet, M. Juaurez sans vouloir trop se plaindre n'a pu cacher qu'il avait réparti le gros de votre travail entre Mlle Octobre et Mme Lamiral. Encore si vous aviez envoyé un certificat. Non. Chaque fois vous vous bornez à téléphoner à Mlle Octobre que vous ne pouvez pas venir parce que vos chattes se disputent, façon de dire, passez-moi le mot, qu'on se contrefiche de son service. D'ailleurs, vous avez accumulé en peu de jours deux fois plus d'oublis, de bévues, qu'en vingt-cinq ans. L'une de vos fautes professionnelles les plus flagrantes et les plus conséquentes est celle-ci : alors que M. Juaurez avait approuvé notre coproduction avec la S.F.C., que M. Courtelaine vous avait remis un projet de contrat, vous avez décliné l'offre assez sèchement et vous avez accepté celle de la C.I.C. dont personne ne voulait entendre parler. Bref chacune de vos rares apparitions au bureau s'est soldée par un désastre ou un accroc. Vous remarquerez que je ne vous fais aucun reproche. Je me borne à exprimer le juste émoi de la direction. Si vous débutiez chez nous vous seriez déjà licenciée mais vous collaborez à notre entreprise depuis vingt-cinq ans. Vous êtes même mon ancienne, ma chère, pas de beaucoup mais enfin. Pour nous résumer, deux solutions sont à envisager : ou bien vous reléguez au deuxième plan vos petites histoires de chat et vous retrouvez votre habituelle efficacité, ou bien nous étudions ensemble un arrangement satisfaisant pour les uns et pour les autres qui vous permette d'avoir d'ores et déjà tous les avantages d'une préretraite. »

C'est alors qu'un tout se forma spontanément qui rassembla en une construction solide trois éléments d'abord épars, cette mercuriale, la dernière hypothèse du Dr Blaizois et la mise en vente de la maison de Paul à Lucé. Entre ces trois scènes qui n'allaient pas tarder à devenir capitales, les événements qui s'insérèrent étaient tous de nature à prouver son impuissance à Mlle Beaunon et à la précipiter vers un changement de vie. D'abord, un nouvel abcès se forma sur la plaie d'Agnès qui connut de nouveau le bistouri et la tyrannie de pansements. L'irritation que la souffrance et l'inconfort entretenaient en elle ne pouvait qu'augmenter son animosité pour Miaouche qui passait une partie de ses jours et de ses nuits à fuir devant des agressions réitérées. Après un long débat intérieur Mlle Beaunon s'était résignée à bannir Miaouche. Elle les aimait autant l'une que l'autre, elle réprouvait même l'opiniâtreté belliqueuse d'Agnès mais celle-ci, première souveraine des lieux, détenait un droit, de plus elle était indirectement la pupille de Paul. Depuis l'agonie de son dernier chat, Jules, mort deux ans plus tôt, Mme Broussais s'était juré de ne plus traverser les mêmes affres, elle refusa avec une inébranlable fermeté d'accueillir Miaouche et ne réussit pas à la caser malgré les démarches qu'elle multiplia dans l'immeuble et parmi ses camarades de cellule. Propriétaire d'un polaroïd elle avait photographié Miaouche et collé son image sur une affichette annonçant qu'une petite chatte belle et douce était offerte à un ami des bêtes. Le Dr Blaizois consentit à poser l'affichette dans son salon d'attente. Aussitôt après Mlle Beaunon rencontra devant la porte Mme Jalligot surveillant d'un œil son minuscule Jupiter et de l'autre l'éventuel voisin dont elle tenterait de faire sa victime. Elle flétrit l'imprudence commise par Mlle Beaunon, sachant de source sûre que parmi les ignobles pourvoyeurs en chiens et chats des laboratoires parisiens certains profitaient de ces annonces pour récolter gratis un animal qu'ils livraient ensuite aux bourreaux. Elle courut retirer l'affichette en se promettant de ne confier Miaouche qu'à des êtres sûrs.

Ils n'affluèrent pas. Au bureau elle avait exposé sa requête et avait entendu Mme Lamiral chuchoter à Mlle Octobre : « D'après ce qu'elle en dit ces deux bêtes sont des harpies et des emmerdeuses. » En s'endormant, le nom de Gréard lui revint à l'esprit ; elle avait une entière confiance en cet homme et s'il se chargeait de Miaouche, sans doute aurait-elle l'occasion de la revoir, car, du coup, elle admettait avec lui de plus régulières relations. Elle utilisa le numéro qui lui avait été donné par les renseignements. On connaissait en effet Gréard et bientôt elle eut au bout du fil une voix masculine assez harmonieuse qui lui apprit que son dernier espoir venait de partir en vacances et qu'il ne reviendrait plus à Gravelines. Sur

le conseil de Mme Broussais elle téléphona à l'un de
ses voisins, M. Penard (celui qui lui avait représenté
les dangers auxquels on exposait un chat en l'appelant
Agnès) et lui demanda la grâce de participer à l'une
de ses soirées spirites. Mme Broussais connaissait bien
M. Penard et sa petite amie l'avocate, Mlle Brun,
savait qu'ils faisaient tourner les tables et si sa
« philosophie » lui interdisait de participer à ces
cérémonies elle ne pouvait s'empêcher de leur accorder de l'intérêt. Comme elle avait remarqué l'ascen-
dant que feu Paul Bâche exerçait sur son amie elle lui
avait suggéré de consulter celui-ci par le truchement
de la table, peut-être l'éclairerait-il sur la voie à suivre
pour résoudre le conflit d'Agnès et de Miaouche. Au
préalable elle lui recommanda de cacher cette visite à
Mme Tiran qui avait conservé longtemps le privilège
de tables tournantes qu'elle ne faisait tourner qu'en
imagination et qui haïssait les vrais initiés. « Et ne
prenez pas ce jeu trop à la légère, ma petite vieille,
n'oubliez pas que Victor Hugo a beaucoup appris des
tables, précisa-t-elle en baissant un peu la voix. Ah,
ce Hugo si nous l'avions encore ! Il aimait les Polonais, il aurait couru leur parler en vers pour les
détourner des fanges de la réaction. L'Afghanistan lui
aurait inspiré de nouvelles *Orientales*. Il aurait chanté
nos cégétistes, nos émigrés, nos cosmonautes, nos
braves petits Cubains, il avait tant de cordes à sa
harpe ! »

L'appartement du professeur et de son avocate
était à la fois majestueux et désinvolte, un peu sale
aussi ; une vaste tapisserie dont Mlle Brun précisa
qu'elle était du XVIIe représentait Abraham s'apprê-
tant à sacrifier son fils Isaac ; le mobilier Louis-
Philippe reluisait mais des dossiers, de vieux jour-

naux, des livres assez maltraités moisissaient sur le tapis. Mlle Beaunon eut tout juste le temps de penser que si Dieu lui demandait le sacrifice d'Agnès ou de Miaouche, Dieu ne l'emporterait pas au Paradis, déjà la séance commençait. M. Penard était de sombre vêtu, jusqu'aux lunettes qui semblaient d'un vert presque noir assorti au nœud papillon alors que Me Minouche Brun (pourquoi pas Miaouche ?) portait, bien que l'automne fût avancé, un short bleu délavé qui rappela à Mlle Beaunon ceux des petites Anglaises du musée Rodin. Quel hasard ou quelle affinité avait uni ces deux êtres, Mlle Beaunon se l'était à peine demandé, la vie des autres ne lui inspirant aucun intérêt. La lumière avait été baissée, ils étaient assis autour d'un guéridon sur lequel ils avaient posé religieusement les doigts et assez vite elle avait senti vibrer le bois. « Esprit es-tu là ? » avait demandé l'avocate. Mlle Beaunon avait été choquée par un tutoiement qui lui rappelait Radio-Casserole mais le guéridon, apparemment moins protocolaire, avait frappé un coup, l'esprit était là. « Veux-tu nous dire ton nom ? » Il avait commencé à frapper et les autres à compter sur leurs doigts jusqu'à ce que le professeur s'écriât : « Encore lui ! ah, quel enquiquineur ! — Tu vois nous supposions que c'était M. Holck qui l'attirait mais même sans lui il se manifeste. — Qui est-ce ? hasarda Mlle Beaunon. — Un jésuite portugais du xviie siècle, il gâche nos soirées par ses obscénités. Esprit, poursuivit M. Penard en s'adressant à la table, nous nous connaissons déjà assez, veux-tu avoir l'obligeance de demander de venir à... » Interrogée du regard elle articula timidement : « Paul Bâche. » Le pied cogna une fois avec violence. « Il est vexé mais il a dit oui. » Un

moment inerte la table s'était ranimée. « Parlez-lui
donc, avait chuchoté Minouche, assurez-vous de son
identité. — Pourrai-je me dispenser de le tutoyer ? —
Absolument pas, respectez les règles. — Mais au
bureau jamais je n'aurais osé le tutoyer, et lui non
plus. — Vous n'êtes pas au bureau ! — Paul Bâche es-
tu là ? » demanda-t-elle, rouge de confusion, imaginant avec horreur ce que Paul Bâche pouvait penser
de cette indéfendable familiarité. Pourtant il répondit
qu'il était là, un peu sèchement, mais avec fermeté.
Tremblante Mlle Beaunon exposa la situation où elle
se trouvait face à Agnès et à Miaouche. Fallait-il les
garder davantage toutes les deux ? « Non », répondit
le petit meuble qui répondit également non à la
question de savoir si l'une des deux devait être
donnée. Minouche souligna l'illogisme de ce conseil
et en exigea l'explication. Le guéridon se remit à
taper à coups réguliers pendant que les autres se
remettaient à compter. Le mot s'épanouit : « Forni-
cation. » Les deux spirites explosèrent, c'était encore
un tour de ce sacré jésuite portugais qui n'avait que
lubricité en tête, mais quoi qu'on fasse il ne décolle-
rait pas de la soirée. Mlle Beaunon ayant remercié ses
hôtes était redescendue chez elle, ou plutôt chez elles
car elle les retrouva dans leur état habituel de
belligérance qui alternait avec la trêve armée.

Puisque ne s'offrait d'autre solution que de les
conduire dans une maison nouvelle parmi les plantes
et les oiseaux, il ne lui était plus resté qu'à demander
à Mme Verdurin de préciser les termes de l' « arrangement » et à Léone de lui vendre la maison si celle-ci
était toujours libre. Elle l'était encore. L' « arrangement » fut honnête. Elle loua sans peine son appartement au fils de M. Labbé (le propriétaire du chien-

loup) qui terminait son service militaire et se préparait à se marier. Aucune difficulté ne s'était présentée
qui en freinant l'aventure l'aurait peut-être assez
retardée pour donner un temps à la réflexion et
justifier un recul. Même l'horaire de la société de
déménagement hâta le mouvement et Mlle Beaunon
se retrouvait assise sur un muret, face à une vallée sur
laquelle baissait la lumière venimeuse à quoi elle avait
d'abord voulu attribuer un malaise. Celui-ci se pro-
duisait tout naturellement au terme d'une révolution
qui la laissait seule avec ses chattes dans une maison
inconnue et isolée.

Novembre qui était apparu en mordant s'alanguis-
sait passagèrement dans la tiédeur. L'un des rosiers
qui grimpait devant la façade portait encore deux
fleurs dont le triomphe était lent à mourir. Mais aux
approches du soir le froid tombait vite. Elle frissonna
et honteuse de son inaction elle empoigna les paniers
qu'elle porta dans la salle de bains. Miaouche jaillit
aussitôt de sa prison, Agnès s'attarda debout dans le
panier, deux pattes posées sur le rebord, regardant
autour d'elle ; elle cracha sans conviction à la vue de
l'ennemie puis sauta sur le linoléum.

Le projet de Mlle Beaunon était d'habiter la
deuxième chambre, d'y manger, d'y dormir, en évitant celle où elle avait vu le corps de Paul étendu sur
un lit dans un frêle parfum de fleurs campagnardes.
Mais elle maintenait toutes les portes ouvertes y
compris celles qui donnaient sur des pièces visiblement désaffectées, le bureau, le salon, la bibliothèque, domaine des moisissures et des toiles d'araignées. Elle voulait que ses deux amies puissent choisir
chacune son refuge et, espérait-elle, son nirvāna.

Dans l'appentis, elle avait trouvé, à son étonne-

ment, des bûches bien sèches, du petit bois et même
ces pommes de pin dont elle connaissait l'élan que
leurs éclats injectaient à un feu naissant. A Picpus le
père se considérait comme le maître et l'animateur du
foyer. Cet homme qui avait utilisé le patriotisme, le
vieux culte du guerrier et de l'héroïque, en les
méprisant, s'attachait à des traditions mineures qui
donnaient des racines à sa famille, débouchant toujours les bouteilles de vin, tranchant un rôt après
avoir affûté solennellement son couteau mais ne
touchant à aucune volaille, tâche de femme « où
certaines excellent, votre grand-mère surtout qui
détachait les parties d'une poularde avec la sûreté
d'un chirurgien, la grâce d'un graveur et réussissait
toujours la mitre ». Il n'aurait jamais souffert qu'un
autre se mêlât de construire le bûcher et de l'enflam-
mer. Mais la chance qui tient sa place dans l'édifica-
tion d'une flamme ou d'une sauce et dans leur
épanouissement lui manquait, et l'instinct. Il se gardait de laisser quelque impatience ou dépit trahir son
échec, regardait sa montre, se déclarait tout à coup
très pressé et alors que son feu avortait il en confiait
l'entretien à sa fille. Mlle Beaunon alliait la technique
à l'instinct et à la chance. Elle le prouva en lançant
comme une charge les flammes à l'assaut du bois.

Les deux chattes s'avancèrent, Agnès guidant la
marche, Miaouche en retrait d'un demi-corps. Elles
regardaient pour la première fois le feu, ce vieux
mystère lumineux dont Mlle Beaunon s'était déshabi-
tuée. Vite, elles se firent au crépitement du petit bois
mais bronchèrent à chaque explosion d'une pomme
de pin couchant pareillement les oreilles et rentrant
les épaules. Leurs yeux étaient inondés par la clarté
remuante où Mlle Beaunon laissait elle-même son

attention s'absorber. Le feu était presque superflu car le radiateur électrique chauffait bien la pièce mais il était porteur d'une gaieté grave. De temps en temps l'une d'elles partait visiter un secteur de la maison, l'autre l'imitait puis elles revenaient devant l'âtre sur lequel Mlle Beaunon posa un gril. Elle commença par leur distribuer de petits morceaux de viande qu'elle découpait dans la tranche encore crue (une tranche pour deux personnes achetée à Tours), d'un rouge vif et juteux qui la dégoûtait parce qu'elle se doutait que l'intérieur de son corps était de cette matière et de cette couleur. Elle logeait un morceau dans le creux de chaque main et présentait son offrande en écartant les bras pour éviter que les deux ennemies ne se heurtassent. Mais Agnès, sous l'empire de la jalousie, oubliait ses simulacres de méfiance prolongée, elle engloutissait sa proie en s'étranglant et s'empressait de ravir celle de Miaouche qui avait tardé à s'approcher et hésitait encore devant la paume ouverte. Il fallut que Mlle Beaunon plaçât les morceaux de Miaouche sur la pierre de l'âtre et retînt Agnès d'une main en la ravitaillant de l'autre. Les estimant nourries équitablement elle posa sur le gril l'autre moitié de la tranche qui submergée par la flambée répandit bientôt un arôme carboneux. Héritière d'une lointaine horreur des nomades, elle tenait à s'installer honorablement dans sa nouvelle demeure et ce plat cuit sinon cuisiné la rassurait plus qu'une boîte de conserve. Archi-grillée cette chair cessait de lui répugner. Accroupie devant l'âtre, obligée de reculer par saccades devant la violence croissante du feu, elle se sentit encore trop nomade et décida d'utiliser dès le lendemain table, nappe et couverts.

Après avoir dressé le pare-feu devant les chenets,

elle s'attardait malgré l'apaisement des flammes, engourdie par une chaleur qui exerçait sur les chattes le même effet apaisant. Peu à peu le haut bûcher se réduisit en un brasier où une ardente combustion se substituait aux tempêtes de l'incendie. Sa morsure portait encore à plus d'un mètre et dans son incandescence se prélassaient ou se tordaient des licornes, des chimères, des hippocampes, de grands sauriens et des fleurs dévorantes et dévorées. Les deux chattes reculaient en même temps qu'elle.

— Nous sommes bien toutes les trois, n'est-ce pas ? leur demanda-t-elle.

Elles lui tournèrent le dos et après une lente sortie où, selon le protocole, l'une suivait l'autre, elles prirent le galop dans le corridor obscur, se cognant, criant mais semblait-il avec un pourcentage de jeu égal à la haine et à la peur. Du moins se rassura-t-elle ainsi, seule dans une pièce qui commençait de tiédir, et en se glissant entre des draps qui l'ensevelirent définitifs comme un suaire. Elle utilisait non pas ses propres draps mais ceux qu'elle avait trouvés dans une armoire, humides et troublants. L'obscurité se posa sur elle, promesse de repos. La promesse fut tenue. Elle ne se leva qu'au jour levé.

Aussitôt elle se jeta à leur recherche. Elle les trouva le museau en l'air côte à côte, fascinées par une araignée qui, au ras du plafond, tramait sa toile dans un angle de la bibliothèque, proie inatteignable qui les unissait momentanément dans le même désir noué par la même impuissance. Elle passa dans la cuisine, bâcla un café, sauta sous la douche qui, moins vétuste que la baignoire, fonctionna correctement. Puis elle ouvrit une boîte de conserve « pour chats difficiles » dont elle répartit le contenu dans deux soucoupes qu'elle plaça chacune à une extrémité de la pièce. Elles mangèrent mais Agnès, toujours plus expéditive, vint flairer la pâtée de Miaouche et elle aurait poursuivi son repas aux dépens de l'autre convive si Mlle Beaunon ne l'avait prise sur ses genoux en essayant de l'amadouer par autant de caresses que de tendres propos. La fourrure renaissait autour de la cicatrice.

Il ne lui resta plus qu'à s'habiller et à trouver le courage de leur offrir le jardin c'est-à-dire la nature tant il était devenu sauvage et la liberté puisqu'il n'était clos qu'au sud, par la falaise. Elle se résolut enfin à les appeler. Miaouche apparut la première sur le seuil de la porte où elle s'arrêta. Agnès une minute plus tard la bouscula et sauta dans l'herbe mouillée. Elle s'arrêtait parfois pour secouer une patte dégoûtée qui se souvenait peut-être du chantier. Elle ne se promena qu'un instant sur le muret et, sans doute intimidée par l'étendue du paysage, elle se précipita vers le jardin broussailleux sur les arrières de la maison. Dès qu'elle eut disparu, Miaouche se hasarda. Elle faisait connaissance avec la végétation et, ne se formant pas vite une opinion sur cette nouveauté, elle l'étudiait, flairant, grattouillant, mesurant du regard le tronc d'un arbre sur lequel, avec véhémence, elle se fit les griffes. Puis, brusquement, sur un coup de tête, elle arracha un brin d'herbe qu'elle avait choisi après méditation et s'assit pour le mâcher sans hâte. Elle avait l'air content. Mlle Beaunon la hissa contre la façade pour lui montrer les roses ultimes, Miaouche les huma et sa maîtresse découvrit qu'elles embaumaient. Cette citadine avait oublié que les fleurs ne sont pas appréciées seulement pour leurs formes et leurs couleurs, elle se rappela qu'enfant elle longeait les voitures de quatre-saisons accotées au trottoir, notamment des voitures de fleurs qui s'annonçaient par une marée parfumée où les élans des roses, des pivoines, des œillets se fondaient en une seule vague. La lumière était d'une vigueur assez printanière pour, en éveillant l'arôme de ces calices épuisés, lui rappeler, alors que comme les chattes elle s'initiait à la campagne, une rue de Paris en juin du temps que le crottin tachetait encore les pavés, que les tramways tintaient et que chaque jour des artistes plantaient leurs chevalets aux carrefours pour peindre un édifice ou une perspective. Rêveuse étonnée, elle posa Miaouche sur ses pattes, celle-ci en profita pour détaler et contourner la maison sur la piste d'Agnès.

Elle patienta un quart d'heure parce qu'elle souhaitait les laisser explorer ensemble un domaine où elles débutaient toutes les deux. Enfin, n'en pouvant plus d'impatience, Mlle Beaunon partit aux nouvelles. D'abord son regard ne rencontra qu'un fouillis d'arbres et de buissons montant jusqu'à une falaise pâle et assaillie par des feuillages fatigués, où se découpaient à peine les portes incolores du garage troglodyte qui abritait la 2 CV. Elle redoutait déjà leur fuite quand, à sa blanche fourrure parcourue de roux, elle reconnut Miaouche qui agressait un arbuste, puis Agnès dont la roseur éclairait un buisson. Cette roseur Mlle Beaunon crut enfin qu'elle lui rappelait celle de la provocante statue devant laquelle il lui était arrivé de rencontrer Gréard. Aussitôt, ce fut elle qui rosit car elle voyait avec netteté l'impudique statue qui était verte, du bout des doigts à la fente. Elle reconstituait en même temps les détours de son erreur qui avaient été produites par le titre hypocrite dégoté par ce vieux

renard de Rodin : *Iris*. Au collège, elle avait été
obligée d'apprendre par cœur de longs passages du
mortel Fénelon et au garde-à-vous devant sa tante elle
avait récité : « Iris aux doigts de *rose* ouvre les portes
de l'Orient. » Alors que la verte Iris ouvrait les portes
du plaisir à tout chasseur et à toute chasseresse.

Ayant sans doute remarqué la présence de l'intruse
elles changèrent d'humeur et se dirigèrent l'une vers
l'autre pour ne s'arrêter qu'à la distance d'un saut de
chat. Agnès gronda faiblement, sur le ton de la
routine. Mlle Beaunon préféra battre en retraite
craignant que sa présence ne les incitât à donner en
spectacle un différend qui se réglerait peut-être spontanément.

Elle rentra chez elle, ne se sentant ni chez elle ni
chez Paul ni chez personne. Au moment de mettre à
leur place les objets qu'elle avait apportés, elle
sursauta, bousculée par le ton agressif d'une sonnette
qu'elle entendait pour la première fois. Elle avait
laissé la porte ouverte pour permettre le retour des
chattes à qui elle n'avait pas enseigné encore l'utilisa-
tion de la chattière. Elle se trouva en face d'un gros
homme assez court qui bombait le torse dans une
veste de velours à soufflets. Sans chercher à entrer il
déboutonna la jugulaire de son shako de taupe, se
découvrit et se présenta.

— Baron Chapuseau. Nous nous sommes rencon-
trés aux obsèques de feu Paul Bâche. Ma demeure est
à cinq minutes. J'ai cru devoir vous rendre une visite
de bon voisinage. Pardonnez ma tenue. Je reviens de
la chasse.

Elle remarqua seulement qu'il portait en bandou-
lière un fusil et une carnassière. Parce qu'elle tardait à
répondre il haussa le ton :

— Si ma visite vous dérange en quelque manière, agréez mes excuses.

Mlle Beaunon balbutia qu'elle était au contraire très touchée et pria son baron d'entrer. Elle songea un instant à le conduire dans le salon mais cette pièce depuis trop longtemps abandonnée était peu hospitalière. La bibliothèque et le bureau présentaient le même inconvénient. La première chambre était peu meublée et assez froide, la troisième, bloquée par la grande table de noyer et les sacs gonflés d'animaux. Ne restait que la deuxième, celle dont elle avait fait sa capitale qui comportait quelques sièges et une petite table. Après s'être débarrassé sur le portemanteau de son appareil chasseur il s'assit et accepta de bonne grâce un doigt de porto. Mlle Beaunon, de son propre chef, n'aurait pas cherché à faire la connaissance d'un voisin mais elle songeait que dans la solitude où elle était réduite elle aurait peut-être besoin parfois d'une assistance. En outre, pendant les dernières semaines, elle avait été sensible, et ne se le pardonnait pas, à la réprobation de l'immeuble qui, mal doué pour célébrer longtemps le malheur, était impatienté — exception faite pour Mme Broussais et la gardienne — par les trop durables infortunes de cette mère aux chats.

Cet homme grisonnant jouait tantôt au sportif, tantôt au grand-père, tantôt au rustre, tantôt au hobereau. Il sut conduire la conversation sur les difficultés que son hôtesse rencontrerait pour restaurer cette maison, les plaisirs qu'elle ne manquerait pas de tirer de cette région privilégiée, l'intérêt qu'elle prendrait à la visite de quelques châteaux dans les environs. Mlle Beaunon lui ayant confié la gravité du conflit qui opposait ses chattes il se porta garant de leur prochaine réconciliation et sut mettre un terme assez rapide à son passage. Devant la grille où elle avait tenu à le raccompagner il se permit de hasarder une invitation qu'il jugeait lui-même cavalière tant le délai était bref.

— Mais, précisa-t-il sur un ton de satisfaction, en l'occurrence le délai est impérieux. Si je vous convie à déjeuner demain c'est parce que je reviens de chasser. Or le temps est passé où on laissait éternellement faisander le gibier.

En refermant le bruyant portillon, M\ :sup:`lle` Beaunon admit qu'elle avait accepté le déjeuner. Elle en était la première étonnée.

Elle tenait entre les doigts un carton que ce Chapuseau lui avait remis en s'esquivant. C'était un plan imprimé en rouge où l'itinéraire conduisant au « domaine » était si bien précisé qu'elle situa sa propre maison, celle de M\ :sup:`me` Tiffauge et constata qu'elle n'était guère qu'à huit ou dix minutes de marche de ce voisin un peu trop cordial. La perspective de ce déjeuner n'aurait pas été déplaisante en soi si elle n'avait pas craint de trouver une preuve de faiblesse dans l'empressement qu'elle avait mis à accepter.

La journée s'écoula insensiblement. Elle osa laisser les chattes seules et libres pour filer faire son marché à Lucé, les retrouva se battant furieusement mais lorsqu'elle les appela de la cuisine pour les nourrir elles accoururent au tintement de leurs soucoupes et leurs combats n'avaient laissé aucune trace sur leurs fourrures peignées et lustrées par les broussailles. Les rangements la conduisirent jusqu'au soir. Elles rentrèrent à cinq minutes d'intervalle et s'approchèrent du feu que M\ :sup:`lle` Beaunon avait allumé comme la veille. Elle tint à mettre le couvert et dîna assise devant la petite table qu'elle avait rapprochée du foyer. Elle songea ensuite à regarder la télévision mais préféra s'envelopper dans sa cape et sortir en se glissant dans l'entrebâillement de la porte qu'elle repoussa pour les empêcher de reprendre leur vagabondage. Assise à califourchon sur le muret elle regarda les étoiles innombrables. L'univers ne lui faisait pas peur. Elle ne le toisait pas amicalement, mais lui-même ne mettait aucune cordialité dans son éclat. Elle n'entretenait aucune illusion sur sa condition qu'elle savait infime sans avoir lu Pascal mais, narguant ces espaces infinis peuplés de soleils, elle les mettait au défi de posséder un musée Rodin et une rivalité aussi subtile que celle d'Agnès et de Miaouche. Un morceau de lune apparut qui erra dans les branchages du coteau. Le froid la chassa, elle rentra et se coucha aussitôt. A peine avait-elle éteint que deux poids se posèrent sur le lit, l'un à bâbord l'autre à tribord. De la nuit Mlle Beaunon n'osa bouger craignant de troubler les deux tranquilles dormeuses. Elle s'éveilla souvent, impatiente de vérifier leur présence. Ainsi vit-elle l'aube s'insinuer. Elle lui permit de découvrir un rideau, une chaise, un vase mais encore dépourvus de couleur. La présence d'un espace jalonné d'objets donna à cette femme qui s'était condamnée trop longtemps à l'immobilité l'envie irrésistible de bouger. Elle osa ramener avec précaution ses jambes et se coula hors du lit sans qu'elles lui marquassent la moindre attention. Quand elle eut fait sa toilette et qu'elle fut habillée elle les retrouva à la même place ; l'une dormait toujours, l'autre se léchait avec conviction. Le couloir était encore obscur mais elle commençait à le connaître et elle déverrouilla avec une sûreté de main qu'on aurait pu attribuer à l'habitude.

Les couleurs de l'aurore flambaient ; l'herbe du terre-plein verdoyait avec force et de l'autre côté de la vallée les bois, les uns dorés, les autres d'un brun iodé, dominaient les vignes rousses. Elle s'assit en amazone sur son cher muret et assista à la naissance brutale du grand jour, rire impitoyable qui donna des ombres tranchantes aux arbres et aux pylônes électriques ; le chemin blanchit, aveuglant, la Loire prit feu puis, par un effet contraire, le brouillard naquit du fleuve, monta en fumant pendant que l'horizon net jusqu'alors commença de délirer, répandant des vapeurs qui se mêlaient avec des nuages manœuvrant au ras des bois. Mais la plus grande partie du ciel demeurait pure et la lumière éclairait franchement la maison et la grille, ce qui est rare au petit matin et à l'automne dans un pays mouillé tel que la Touraine. La lune, toute transparente, hésitait à disparaître comme un dernier songe des ténèbres. Mlle Beaunon que son lyrisme surprenait se retourna et vit assises sur le perron, côte à côte, très dignes, Agnès et Miaouche. Miaouche sortant de son immobilité mordit une oreille d'Agnès, non : la mordilla puis la lécha. Impassible un moment, celle-ci bougea et frotta son nez à celui de Miaouche.

Pendant qu'elles dévoraient, Mlle Beaunon but deux tasses de café pour soutenir son exaltation. Le prodige passait son espérance. Elle laissa entrouverte la fenêtre de la cuisine pour leur permettre d'aller et venir. Elle-même, trop agitée pour travailler utilement, déambula en fumant un de ses petits cigares. Elle feignait de s'intéresser à ce qui autrefois avait été un verger et un potager et de préciser un projet de sarclage et de défrichage. Elle avait ses chattes, elle avait ses terres. Toujours aimantée par le muret elle revint s'y asseoir et contempla son fleuve.

Gravissant le chemin, Mme Tiffauge qui traînait une poussette où gisait un cabas surgit la tête baissée, essoufflée, le regard fixé sur le sol. Elle se redressa à l'improviste et porta un doigt vers le vaste béret qui la coiffait, assez semblable aux faluches que, dans son enfance, Mlle Beaunon avait remarquées sur la tête des étudiants. La conversation s'engagea à l'abrupt :

— Alors comme ça vous déjeunez aujourd'hui chez monsieur le baron. Ce n'est pas pour dire mais la connaissance a été vite faite.

Elle avait oublié ce déjeuner et fut plus sensible à ce rappel qu'au ton sur lequel il lui était adressé.

— C'est, je pense, un agréable voisin, finit-elle par répondre, et il s'intéresse à mes chattes, il m'a proposé de s'occuper d'elles si je m'absente.

— S'occuper d'elles ! vous me faites rire. D'ailleurs vous m'avez dit que c'était deux furies, il ne les approchera pas et ce sera tant mieux pour elles.

— Des furies ! Si vous les voyiez, elles s'entendent comme deux petites larronnesses, ce sont des amours, je suis folle de bonheur.

C'était le bonheur qui lui faisait oublier que les autres ne partagent pas forcément le ravissement d'une bonne nouvelle quand elle ne les concerne pas.

— Vous m'en voyez ravie !

Sans un mot d'adieu Mme Tiffauge s'éloigna péniblement, escortée par le grincement de la poussette.

Il était assez tôt encore et Mlle Beaunon se donna le loisir, contrairement à son habitude, de baguenauder. Tantôt elle suivait d'un regard les courses de ses chattes à travers la végétation, tantôt elle reprenait

une éternelle entreprise de rangement et de net-
toyage. Sur le parquet de la bibliothèque elle trouva
un livre qu'elles avaient fait tomber sans doute en
essayant de monter à l'assaut de l'araignée. Elle
l'ouvrit parce qu'une fiche manuscrite où elle reconnut l'écriture de Paul dépassait. Le livre était intitulé
Petite Anthologie des poètes latins. La page de gauche
était imprimée en latin donc en hébreu, la droite en
français. Certains vers du texte latin étaient soulignés
au crayon. En bas de page une note du traducteur
avait été cochée, elle la lut : « L'érotisme de Properce
pèche par une évidente incohérence. Tantôt l'auteur
se félicite d'étreindre sa maîtresse dans l'obscurité,
tantôt il exige une lumière crue, tantôt il apprécie
qu'elle se défende en jouant de sa tunique, tantôt la
nudité complète lui est nécessaire. De plus il la
menace de châtiments corporels si elle ne suit pas ces
vœux pourtant opposés. » Quant au texte de Paul il
s'adressait visiblement au commentateur : « Con ! Tu
connais peut-être le latin mais tu ne connaîtras jamais
l'érotisme ! Pas la peine que je t'explique, tu ne
pourrais jamais comprendre que les fantasmes
contraires s'entendent, le nu et le vêtu, le clair et
l'obscur, et que le châtiment dont l'injustice t'indigne
est un plaisir partagé. Etc. » Pas plus qu'elle n'aurait
admis qu'il connût la sienne elle ne voulait rien
apprendre de la vie sexuelle de Paul et elle enfonça la
note dans le livre et le livre dans la bibliothèque. La
sonnerie du téléphone la surprit pendant les derniers
efforts acharnés grâce auxquels le livre réprouvé
s'engloutit entre d'autres volumes qui lui résistaient.

Elle courut, prête à entendre la voix de Mme Broussais et déjà confuse de ne l'avoir pas appelée pour lui
annoncer la bonne nouvelle. Inconnue, la voix finit

par se nommer : Chapuseau téléphonait pour préciser
à son invitée qu'il tenait à rester vieux jeu quant aux
horaires et que le déjeuner était servi chez lui à midi
précis. Elle raccrocha intimidée par l'impérieux du
ton mais, malgré l'heure déjà avancée, elle forma le
numéro de Mme Broussais. Celle-ci reçut la bonne
nouvelle en silence. Mlle Beaunon se répéta et obtint
une réponse :

— C'est indéniablement un progrès mais ne vous y
fiez pas. Les chats sont toujours plus compliqués
qu'on ne croit.

Mlle Beaunon ayant donné d'autres preuves de la
bonne entente qui s'était établie entre les deux
ennemies, elle récolta :

— Je le souhaite, ma chère ! Nul ne le souhaite plus
que moi mais c'est pour vous que j'ai peur si vous
vous embarquez dans les illusions.

Les chattes n'étaient plus en cause, leur amitié était
sûre et c'était une autre amitié qui par téléphone et en
quelques minutes s'altérait. Inhabituée à juger des
autres Mlle Beaunon s'étonna en concluant sur-le-
champ que l'affection de Mme Broussais ne reposait
que sur l'exercice d'une supériorité tutélaire dont le
ressort venait de se rompre. Il était insupportable de
prolonger une conversation avec une interlocutrice
qui de réplique en réplique devenait une inconnue
hostile. Elle prétexta une visite pour raccrocher, non
sans avoir ajouté :

— Les gens sont si gentils dans ce coin qu'ils ne me
laissent plus une minute à moi.

Elle avait été perfide par inspiration et ce fut
seulement pendant qu'elle se maquillait et qu'elle se
recoiffait qu'elle comprit, à la réflexion, l'un des
mobiles de la bienveillance que lui avait portée

Mme Broussais : celle-ci nantie du souvenir d'un mari exemplaire, de Jules, chat exemplaire, confite dans la bonne chaleur de sa cellule se plaisait à épauler une esseulée. A une déception qui était cuisante, mais surtout d'amour-propre (or elle en avait peu), elle était moins sensible qu'au plaisir d'avoir vu clair si vite et comme par instinct.

Elle organisa le repas des chattes et, par la fenêtre, les appela en tapant une cuillère contre une assiette. Agnès accourut aussitôt, bondit dans la cuisine et se précipita sur sa soucoupe, mais Miaouche se faisait attendre. Elle s'était rapprochée mais elle hésitait à quelques pas de la fenêtre comme si, craignant d'être de trop, elle attendait une marque vraiment convaincante d'une invitation dont elle n'était pas encore sûre d'être l'objet. Le temps passait sans que Mlle Beaunon osât partir tant elle craignait qu'Agnès ne dévorât la part de Miaouche. Enfin celle-ci se décida à sauter sur le rebord de la fenêtre puis après un nouveau temps de méditation à gagner sa soucoupe sur la pointe des pattes. Il n'était plus question d'aller à pied chez cet hôte tyrannique, elle escalada le jardin, poussa les portes rebelles du garage et monta dans sa voiture avec l'espoir d'arriver à l'heure. Elle atteignit bientôt le virage où se situait la maison de Mme Tiffauge dont elle remarqua le vieux colombier. Elle arriva aussitôt après devant un pavillon coiffé d'ardoises que précédait une haute porte de fer forgé flanquée d'une poterne. Le chemin se perdant parmi les herbes elle abandonna sa voiture sans craindre de gêner quiconque. La poterne était entrouverte et elle parvint devant une façade que tentaient d'anoblir un maigre balcon soutenu par des cariatides et une tourelle maigre aussi et visiblement surajoutée. A peine eut-elle sonné, le baron Chapuseau apparut comme s'il la guettait derrière la porte.

— Je vous ouvre moi-même pour éviter de déranger la servante dans ses apprêts.

Ne demandant qu'à sourire, elle sourit en se rappelant la question que le Japonais du Louvre-Méridien lui avait posée : « Je vous ouvre moi-même ou vous préférez vous ouvrir ? »

Le baron l'avait poussée à travers une salle où gisaient démontés des bicyclettes, des appareils ménagers, des fusils de chasse. Par l'entrebâillement d'une porte s'insinuaient d'agréables odeurs de cuisine difficiles à analyser. Elle se retrouva dans un escalier en colimaçon qui déboucha dans une petite pièce ronde située sans doute dans la tourelle. Elle était tendue de velours rouge et décorée de miniatures dont les cadres flambaient d'or. Assise devant une petite table également ronde elle entrevoyait la pièce voisine où les couverts brillaient sur une nappe blanche. Il montra par un œil-de-bœuf de hauts arbres que le vent dépouillait de leurs feuilles et exposa, semblant plutôt s'adresser à lui-même qu'à elle, que derrière ces arbres s'était élevé son château qui avait été acheté et rasé. Il racontait, elle ne l'écoutait guère, goûtant une félicité sans mélange à penser aux chattes et buvant à petites gorgées un porto que le baron avait sans doute acquis à son intention. Elle apprenait qu'on peut boire par chagrin et boire par liesse.

— Madame est servie, annonça Mme Tiffauge ligotée dans un tablier blanc brodé, mais toujours coiffée de sa faluche.

Mlle Beaunon savait que Paul avait employé Mme Tiffauge pour son ménage et que celle-ci était souvent appelée à cuisiner les repas de fête dans les alentours mais elle ne s'était pas attendue à la trouver déguisée en femme de chambre. Ils s'assirent devant une vaste table qu'ornait un vase au long col dominé par une rose mourante dont le rouge était celui d'un vitrail transpercé par le soleil ; ses pétales prêts à s'effondrer donnaient l'illusion de chercher à s'envoler. Dans son assiette Mlle Beaunon trouva une brochette de bécassines dont le baron annonça qu'il les avait tirées en bordure de Loire et qu'elles étaient probablement les dernières de la saison.

— Je ne saurais trop vous inviter, ma chère demoiselle, à suivre mon exemple en usant de vos doigts pour saisir ces fragiles oiseaux et en vous protégeant de votre serviette à la bonne vieille manière.

Lui-même avait noué la sienne autour de son cou, Mlle Beaunon embarrassée la glissa dans l'échancrure de son chemisier. Elle apprécia le peu de chair qu'elle arrachait à des os frêles comme ceux des grenouilles et écoutait en toute indifférence les considérations de son hôte sur le peu de ressources qu'offrait la chasse dans cette région qui huit jours après l'ouverture était presque dépeuplée. Il vanta en revanche la variété des gibiers qu'on trouvait du côté de la Sologne tout en déplorant que le plus souvent ce fût des faisans d'élevage qu'on lâchait dans la nature et ne s'interrompit que pour saluer l'arrivée d'un plat d'argent sur lequel reposait une couple de perdreaux.

Contrairement à ce qu'on pouvait craindre cette apparition n'allait pas maintenir la conversation sur la chasse car les perdreaux étant escortés de petits pois, Chapuseau annonça avec gloire qu'ils étaient de conserve et que par suite d'un phénomène qui n'avait pas été étudié si certains produits perdent leur vertu sous l'effet de la conserve, d'autres, notamment les

petits pois, gagnent en subtilité et en tendresse. Puis il
s'avisa que le regard de son invitée errait sur les
tableaux qui ornaient les murs. Il s'empressa de lui en
infliger les commentaires. La vaste gravure bien
sombre où surgissaient des chevaux, des canons, des
uniformes blancs sur un fond de remparts et de ciel
nuageux représentait la reddition d'Ulm. Mlle Beaunon comprit la réédition, ne se demanda même pas si
Ulm était un ouvrage de prose ou de poésie et accepta
docilement que ce succès de librairie fût évoqué à
travers un appareil guerrier. Elle comprit que Bernardin le trisaïeul de Chapuseau avait été fait lieutenant à
Ulm et qu'une estampe encadrée de verre représentait dans un décor de palmiers une bataille qui avait
eu lieu en Espagne où Bernardin était devenu capitaine. Toute la pièce était vouée à sa mémoire. Une
encre rehaussée d'aquarelle le représentait général et
baron, carte et jumelles en main, toisant Alger la
Blanche du pont d'une frégate et fournissant de
disertes explications au maréchal de Bourmont.

— Sans mon aïeul, Bourmont n'aurait pas pris
Alger !

Mais un tableau possédait plus que les autres le
pouvoir d'intriguer. Un officier était agenouillé dans
la neige auprès d'une jeune morte qui semblait sortir
des mains du coiffeur : il l'enveloppait dans un suaire
et une dizaine de soldats, d'officiers se découvraient
autour d'eux.

— Cette œuvre, déclara-t-il avec complaisance, est
due au pinceau d'un élève de Gros. Elle tend à
perpétuer le souvenir de la scène la plus émouvante
de la retraite de Russie. L'officier agenouillé n'est
autre que Bernardin. La jeune morte s'appelait
Alexandra, elle était la fille du général Novosilrof.

Lors de l'entrée des Français à Moscou, cette fille séparée de sa famille aurait été la proie des flammes si Bernardin ne l'avait pas dégagée au péril de sa vie. Un grand amour chaste était né entre eux et lorsque les Français évacuèrent Moscou, la jeune fille, qui ne pouvait imaginer une séparation, suivit la retraite dans une calèche ouverte à tous les vents... Mais sans doute, ma chère demoiselle, ce long exposé vous aura-t-il lassée, vous semblez ailleurs.

Elle sursauta, prise en faute. A l'école l'institutrice interpellait une rêveuse : « Répétez-moi ce que je viens de dire. » La rêveuse perdait pied le plus souvent mais Mlle Beaunon se rassura, elle avait encore en tête la dernière phrase. Elle faillit la réciter et s'en garda : c'eût été se justifier. Elle faillit aussi excuser son air absent par la fatigue de son emménagement, le changement d'air et c'eût été sous-entendre que le discours du baron constituait une épreuve. Elle remarqua que si elle avait successivement retenu à temps deux phrases également malheureuses qui lui montaient aux lèvres c'est qu'elles s'étaient formées dans son cerveau plusieurs secondes avant que fût prise la décision de les énoncer. Elle en conclut qu'étaient gaffeurs ceux qui parlaient en pensant et non après avoir pensé et pesé. Elle répondit avec un parfait naturel :

— J'étais ailleurs en effet, et très loin d'ici, dans cette calèche ouverte à tous les vents où vous me laissez sur ma faim.

Le baron avait un peu perdu de son autorité quand il reprit :

— Donc les chevaux crevèrent... Bernardin soutenait Alexandra qui trébuchait dans la neige. Ils ne se quittaient que lorsqu'il devait charger les cosaques avec son escadron de chasseurs à cheval. Au terme d'une nuit glaciale elle ne s'éveilla pas, poursuivit-il en retrouvant son aplomb. Le récit de ces funérailles improvisées parcourut toute l'armée. Quand il retrouva Paris plusieurs romances déjà chantaient ses amours tragiques. On l'appela Bernardin l'Irrésistible. Toutes les femmes se disputèrent le soin de le consoler. Il semble qu'il ait souvent cédé à leurs entreprises mais sans oublier le passé, et la mélancolie dont il était empreint lui valut un autre surnom : Bernardin l'Inconsolable. Louis XVIII tint à lui accorder une audience particulière au cours de laquelle il lui dit : « Monsieur, je sais que vous avez beaucoup souffert. » Il se maria mais sans rien dépouiller de son passé. Cette mèche que vous apercevez dans le globe qui surmonte la cheminée avait été coupée par lui dans la chevelure d'Alexandra. Il la conserva dans la chambre conjugale. Il vécut tard et sa légende aussi, l'impératrice Eugénie l'invitait aux Tuileries pour savourer une image de la nostalgie. Belle histoire, ma chère demoiselle, belle histoire, non ?

— Presque trop belle.

— Je me doutais que vous étiez plus finaude que vous n'en aviez l'air...

Il fut interrompu par le retour de Mme Tiffauge qui desservit et posa de nouveaux couverts et un compotier chargé de noix. Comme le baron expliquait l'absence de fromage en trois points, il n'admettait que le chèvre, un chèvre qu'il faisait venir spécialement de Valençay et qui justement avait un retard dont il aurait été superflu de s'affliger car un chèvre de novembre ne vaut rien, Mme Tiffauge le coupa pour annoncer que tout était prêt pour le café et qu'elle partait.

— Mais vous me devez encore une demi-heure !

— C'est la demi-heure que j'avais à récupérer.

Sous le tablier brodé un gargouillis résonna qu'elle excusa aussitôt :

— Sauf votre respect c'est la faute à mes boyaux

Elle vira avec la majesté d'un vaisseau de haut bord et s'en fut en refermant plutôt brutalement la porte derrière elle.

— Je me demande, soupira-t-il, en essayant un sourire, comment j'arrive à la supporter. Ma patience est à bout mais elle ne sera plus mise longtemps à l'épreuve. Le médecin qui est l'indiscrétion même m'en a prévenu. Et elle le sait qu'elle n'en a pas pour deux mois, ce qui n'enlumine pas son humeur.

Comme un ciel venteux passe d'un seul élan de l'orage à l'azur la physionomie du baron fut éclairée par de multiples petites lueurs de malice et ce fut avec une vraie gaieté qu'il reprit :

— J'étais en train de dire que vous étiez une finaude. En jugeant l'histoire trop belle vous aviez tapé dans le mille.

Mlle Beaunon qui avait répondu au hasard n'écoutait que vaguement, très occupée à se demander non pas si Mme Tiffauge était vraiment condamnée (ça lui était égal) mais si elle ressemblait à une gargouille parce qu'elle gargouillait ou si tout simplement elle gargouillait, étant gargouille.

— En 1912, date anniversaire de la retraite de Russie, Saint-Pétersbourg, au nom de l'alliance franco-russe, nous restitua le courrier qui pendant la retraite avait été fauché par les cosaques. Plusieurs lettres d'un écrivain nommé Stendhal furent ainsi retrouvées. Des sociétés érudites s'étant partagé l'étude de cette correspondance, l'une d'elles s'adressa à mon grand-père pour lui signaler une lettre d'un nommé Petit Luc, domestique du trisaïeul qui, ayant collaboré à la toilette funèbre d'Alexandra, s'était aperçu que la jolie fille était du sexe masculin. Il précisait que Bernardin l'Irrésistible s'était hâté de dérober ce détail imprévu. Une note était jointe, émanant d'un haut fonctionnaire qui signalait au tsar que le fils du général Novosilrof avait revêtu des vêtements féminins pour espionner les Français et que même pendant la retraite il n'avait pas cessé d'envoyer des renseignements. Et ce héros qui avait à peine quinze ans était mort sous robe de femme.

— Il avait dupé votre trisaïeul et celui-ci l'a caché pour préserver sa réputation de séducteur.

— En effet, Alexandra s'était toujours refusée, d'après la légende, à accorder à son soupirant d'autres faveurs que des baisers. Mais il y a encore, ma chère demoiselle, une autre hypothèse... Une autre hypothèse, répéta-t-il, avec un ravissement qui lui donnait l'apparence d'un gâteau et alerta l'attention d'une auditrice plutôt engourdie.

Poliment elle l'interrogea du regard.

— Une autre hypothèse, une autre hypothèse, ramageait-il, et perspicace comme vous êtes et ayant vécu à Paris qui plus est, ne me racontez pas que vous ne la décelez pas cette autre petite hypothèse qui montre le petit bout de l'oreille. C'est tout simplement, poursuivit-il d'une voix tonitruante, que mon aïeul connaissait mieux que personne le sexe de (il ricana) sa compagne. Il était inverti, ajouta-t-il avec douceur, et amoureux si bien qu'un instant il a oublié de dissimuler à son ordonnance les formes du bien-aimé.

Tout à coup il s'abandonna jusqu'à un rire terrifiant qui prêta une féminité à ses rondeurs tout en aggravant ses allures de Porthos, de sorte qu'il fut une nymphe digérée par un hercule, ou l'inverse. Elle se rappela que Mme Broussais s'était transformée sur l'instant ; la métamorphose du baron était aussi rapide.

— Mais, objecta-t-elle avec l'espoir de le ramener à lui-même en interrompant ce monologue terrible, si monsieur votre trisaïeul avait été ce que vous pensez, n'aurait-il pas dû se dérober à une déplaisante pluie de bonnes fortunes ?

— Elle fait l'innocente, cette grande rouée ! Comme si elle ne savait pas qu'on peut en être et se débrouiller parfaitement, ou donner le change. D'ailleurs en cas d'échec, ajouta-t-il plus posément, les victimes n'osaient se plaindre, c'eût été avouer qu'il n'avait pas réussi, pour elles, à oublier l'inoubliable Moscovite.

Il s'imposa la physionomie à peine goguenarde d'un homme qui veut bien s'amuser d'une situation qui ne le concerne nullement. Mais ses yeux accentuaient. une gravité qui impressionnait aussi fortement que la crise où il s'était abandonné de la tête aux pieds à son penchant — qui était plus profond qu'un penchant, un abîme, pensa-t-elle, mais pourquoi ne porterions-nous pas chacun un abîme au milieu de notre personne comme, par compensation, nous portons un nez au milieu de notre visage ?

Le masque s'était recomposé ; le regard réussit même à retrouver une apparence de franche rudesse qui n'était peut-être pas feinte.

— Ma famille et moi avons gardé secret le revers de la médaille de Bernardin l'Irrésistible et si je vous en ai fait la confidence c'est que je vous imagine trop distraite pour vous montrer indiscrète.

C'était bien vu, encore que, pour une fois, Mme Broussais puis M. Chapuseau avaient réussi à inspirer à cette distraite une attention presque émerveillée due à la promptitude de leurs transformations. Mais son intérêt s'émoussait déjà et comme son hôte ne se décidait pas à offrir le café elle se hâta de le remercier et s'enfuit.

Elle fuyait gaiement parce qu'elle se préparait à les retrouver. Sur le toit de Mme Tiffauge s'élevait d'une cheminée un filet de fumée qui lui rappela un jeu de cubes dont le thème tournait autour d'une ferme devant laquelle s'affairaient les représentants de tous les animaux domestiques européens ; plaçait-on la tête du canard sur le cou du chien, la bévue était vite réparée et le pis restait le tortillon de fumée sur les hasards duquel on pouvait longuement errer aux dépens des branchages qui, maltraités, se livraient à des convulsions hystériques. Ces souvenirs d'une enfance morne où tout acte était répétitif attristaient d'habitude Mlle Beaunon, ils l'amusèrent parce qu'elle était heureuse. Qui apercevrait-elle la première, Agnès ou Miaouche ?

Elle freina devant la grille mais apercevant, à travers les barreaux, la porte de sa maison, elle lâcha tout et écrasa ses mains sur ses yeux. La voiture abandonnée à elle-même se laissa attirer par la pente, redescendit et, happée par le virage, moteur calé, s'arrêta en bordure du fossé. Son siège était incliné mais elle ne pouvait même pas détacher ses mains de son visage. Pour qu'elle s'y décidât il fallut que par l'ouverture de la vitre une voix résonnât si proche d'elle qu'il lui sembla sentir le souffle de celui qui parlait.

— Vous êtes blessée ?

Le courage lui vint d'ouvrir les yeux. Elle vit le monde extérieur : un képi, des yeux, un nez, une bouche qui remuait parce qu'elle continuait de prononcer des mots.

— Vous avez eu un accident ? Non ? Un malaise ?

Un deuxième képi surgit et s'immobilisa et une voix à peine différente de la première annonça :

— C'est la nouvelle propriétaire de la maison de M. Bâche. On me l'a montrée à Lucé.

— Mais qu'est-ce qui vous est arrivé ? insista la première voix. Nous vous avons vue de la route en passant. Qu'est-ce que vous avez ? Vous souffrez ?

— Oui, hurla-t-elle, et prise d'un fol espoir elle supplia ou ordonna : courez à ma porte. Peut-être qu'elles vivent encore.

Les deux gendarmes se concertèrent brièvement puis le second demeura sur place pendant que le premier gravissait le chemin et poussait la grille gémissante. La voiture était exposée au soleil. Pour la saison le temps était chaud, le ciel doux. Quand le premier gendarme revint, il demanda :

— Elles étaient à vous ?

— Elles sont mortes !

Les deux phrases l'une conjuguée au passé l'autre au présent, l'une interrogative et l'autre exclamative portaient la même information.

— A vue de nez, reprit-il, et je ne vous dis pas ça matière à consolation, mais je crois qu'une personne idoine m'approuverait, quand ces animaux ont été cloués sur la porte...

— Crucifiés !

— ... ils avaient déjà péri. Le gazier qui essaierait d'enfoncer des clous dans un chat vivant y perdrait les yeux. Elles ont été bel et bien empoisonnées d'abord. Ça se fait à la campagne, qu'est-ce que vous voulez. A la campagne et même si ça se perd, il y a plus de poison dans les bas de laine que de napoléons. Et plus de poison dans les fermes et les bourgs qu'à Paris, Lyon et Marseille réunis.

— Si vous voulez, proposa l'autre avec l'entrain de qui cherche à faire plaisir, je peux téléphoner de chez vous au vétérinaire pour qu'il procède à un examen voire à une autopsie. A vos frais. Mais pour pénétrer j'ai besoin d'être requis.

Par la portière elle lui passa les clés pendant que son collègue enchaînait :

— Mon camarade est né à Cahors, c'est une ville, moi je suis du Lot aussi, mais des champs. Sur la porte de la grange c'était coutume de clouter une chouette. Ça éloignait le sort, pensait le monde à tort ou à raison. Mais juridiquement vous pouvez l'écouter : déposez une plainte, la loi s'y prête et la S.P.A. vous aidera et se portera partie civile. De toute façon mes parents ne risquaient rien vu qu'une chouette ça n'a jamais de propriétaire à ma connaissance alors qu'un chat peut et doit en avoir un. Mais ce n'est pas tout ça, ajouta-t-il en ouvrant la portière, qu'est-ce que vous attendez pour descendre ?

— Qu'est-ce que je ferais sur le chemin ? Je serais bien avancée.

— Votre véhicule obstrue la voie publique.

Intimidée, elle obéit. Il l'aida à s'extraire. Elle entendit le premier gendarme revenir en courant. Il criait :

— Nous jouons de bonheur ! J'ai eu le Dr Renne, il partait accoucher une vache mais il a le temps de jeter un œil, il arrive dans une minute.

— Aide-moi à dégager la voiture.

Elle les regarda s'essouffler à tirer la voiture sur le chemin.

— Elle obstrue toujours. Etes-vous en état de la conduire jusqu'à votre propriété ?

Elle ne répondit rien, peut-être n'entendait-elle pas. Sans insister ils prirent leur décision. L'un d'eux voulait se mettre au volant mais l'autre invoqua la légalité et d'un commun accord ils poussèrent la voiture jusqu'à la grille et la laissèrent dans l'herbe après avoir tiré le frein à main. Puis il triomphèrent : la Talbot du vétérinaire apparaissait. Un barbu en sauta qu'ils s'empressèrent de saluer et escortèrent vers la maison. Quand le barbu revint, il était encadré par les gendarmes comme un criminel. Il regarda Mlle Beaunon avec une certaine douceur.

— Il y a des signes qui ne trompent pas, dit-il, vos chattes ont en effet été empoisonnées. Sur la nature du poison je ne peux pas me prononcer encore que j'aie mon idée. Mais si vous en êtes d'accord je procéderai tout à l'heure à l'autopsie, en tout cas elles n'ont guère eu le temps de souffrir. Et si vous déposez une plainte je vous donnerai un coup de main.

Elle ne savait plus si elle était en état de veille ou de rêve, mais les réflexes sociaux fonctionnaient.

— Voulez-vous m'indiquer, docteur, le montant de vos honoraires ?

— Je ne veux rien.

— J'y tiens.

— Nous en reparlerons un autre jour.

Il avait pris un sac dans sa voiture. Elle mit un

certain temps à oser comprendre qu'il était en train de les déclouer et qu'elles s'en iraient dans le sac. Elle ferma les yeux mais dans les ténèbres de ses paupières closes les deux petits corps écartelés et ensanglantés apparurent avec une force nouvelle. La grille hoqueta une minute ou deux plus tard. Ayant détourné la tête elle ne vit pas le vétérinaire chargé du sac que les deux pauvres petites ne devaient guère alourdir. Elle entendit ronfler le moteur. En passant à sa hauteur, le vétérinaire lui adressa un petit signe de la main. Les deux gendarmes approchaient sans hâte. Celui qui était des champs prit la parole :

— Vous pouvez d'ores et déjà déposer une plainte contre inconnu. Maintenant si vous avez des soupçons vous pouvez dans une certaine mesure les communiquer mais faites bien attention que s'ils ne sont pas confirmés vous feriez l'objet d'une plainte de la personne que vous auriez diffamée.

— Je verrai.

— Bon. Alors vous rentrez chez vous ?

Elle acquiesça et gravit en effet le chemin. Elle poussa la grille mais ne se dirigea pas vers la porte qu'elle parvint à ne pas voir. Elle contourna la maison et rentra par la fenêtre en troussant sa jupe. Elle réussit aussi à ne pas voir le bassin de sable et les soucoupes. Elle trouva plus vite qu'elle n'aurait cru le revolver à barillet qui lui venait de son père et la sacoche de daim où étaient blotties les cartouches. Souvent, sans doute pour se rendre intéressant, le père nettoyait cette arme, la chargeait et la déchargeait. C'était simple et elle enfonça une cartouche dans chaque alvéole du barillet. Par précaution elle conserva le sac aux cartouches. Puis elle poussa dans une valise un peu de linge, des affaires de toilette, son chéquier, ses papiers d'identité et même une jupe et un pull. Ses gestes étaient contradictoires puisque son projet consistant à tuer d'abord Mme Tiffauge, à se tuer ensuite, le contenu de la valise était superflu. Elle jeta celle-ci sur le siège arrière et démarra. Quand la maison de Mme Tiffauge apparut le filet de fumée bleue qui s'échappait de la cheminée avait tari.

Aucune des deux portes n'était fermée. Mlle Beaunon entra dans la grande salle que d'abord elle crut déserte. Mais le fauteuil à oreillettes était tourné de dos et dépassait une main agitée d'un tremblement irrégulier.

— J'ai entendu votre voiture descendre du baron, dit le fauteuil. Je viens de l'entendre remonter. Je sais que c'est vous et que vous les avez vues.

Mlle Beaunon contourna le siège et le visage de la gargouille apparut. Elle ne broncha pas devant le revolver braqué.

— Regardez plutôt.

Sur l'une des deux tables gigognes situées près du fauteuil une tasse posée sans soucoupe contenait un liquide clair.

— Je leur en ai donné une demi-cuillère à café à chacune dans une boulette de viande crue. Immédiat. Mais pour que ce soit immédiat avec une personne il faut une demi-tasse. Je pensais que vous viendriez et que vous me trouveriez décédée. J'ai lambiné ce qui n'est pourtant pas mon genre. Mais je vais l'avaler maintenant. Vous n'aurez pas le plaisir de me tuer. D'un autre côté vous n'en porterez pas la responsabilité ce qui prouve que dans la vie il y a toujours du pour et du contre.

— Pourquoi avez-vous... ?

Elle laissa tomber la phrase et reprit :

— Parce que j'avais pris le Laocoon ? Parce que j'avais acheté la maison ?

— Ça n'aurait pas suffi. Ce matin sur votre mur, toute fière de vos chattes, narquoise et triomphante vous étiez trop heureuse. Ici ce n'est pas l'habitude de l'être : ni le baron, ni le chanoine, ni le restaurateur, ni personne, mais vous alors ! En plus, vous ne m'avez même pas complimentée pour la sauce des perdreaux. Enfin assez causé, dès lors laissez-moi tranquille.

Elle but d'une rasade et laissa tomber sur le carrelage la tasse qui se brisa sans convaincre Mlle Beaunon. Méfiante, elle assista au rétrécissement du visage ; les lèvres qui au naturel étaient déjà rentrées s'enfouirent sous les gencives. Elle attendait encore, revolver au poing, étonnée d'avoir trouvé une pose théâtrale pour la première fois de sa vie. Elle se décida à toucher le poignet froissé où les veines se nouaient. Le pouls avait cessé. Elle remit l'arme dans la sacoche et sortit. Elle fixait son volant, son chemin, et passa devant la grille de sa maison sans la voir avant de s'élancer avec soulagement sur la nationale. Dès l'autoroute, logée entre deux camions qui roulaient à quatre-vingts, elle s'abandonna à l'illusion d'une absence de pensée.

Mlle Beaunon et le suicide

Elle ne se rappelait plus à quelle date l'une des dactylos, Mlle Fiéraloy, fille jeune, jolie et pleine de santé, s'était suicidée. C'était l'année où les Américains s'étaient promenés sur la Lune. Paul Bâche en avait paru affecté mais Mlle Beaunon lui avait répondu que cette petite avait eu tort car « la vie garde le pouvoir de donner la mort mais la réciproque n'est pas vraie ».

Plus récemment elle avait entendu une conversation entre Bâche et Juaurez qui concernait le père d'un dialoguiste de leurs amis qui, décidé au suicide, avait renoncé parce qu'un de ses proches lui avait dit : « Ne fais surtout pas ça, c'est très dangereux. » L'inquiétant secret de cette phrase intimidait, mais pouvait piquer la curiosité.

Un regret l'assaillit : j'aurais dû me tuer avant de rencontrer Agnès, maintenant c'est un peu tard, c'est se tuer après les métastases. Un peu tard. Mais celui qui est atteint d'un mal incurable peut finir par se tuer pour préserver son confort, préférant une voiture rapide aux lenteurs épuisantes d'un transport en commun.

Elle subissait le besoin de se délivrer d'un souvenir qui était une image, celle d'une porte étoilée de deux fourrures malheureuses. Son suicide serait limité à l'exaucement d'un souhait tout négatif. Ce ne serait qu'un suicide commode. Pourquoi pas ? Un suicide de raison se défend mieux qu'un mariage de raison.

Elle aurait estimé davantage celui qui, ayant fait le tour des choses, se détruirait dans un accès de lucidité. Mais elle était trop orgueilleuse pour avoir envie de s'estimer. Et, surtout si l'on s'est accordé un délai, le projet d'un suicide vous ragaillardit. On s'accroche à lui.

La voiture s'était glissée entre les hautes murailles de la capitale. Elle trouva d'elle-même la rue de Vaugirard puis la rue Gaspard-Hauser où une place s'offrait. Les passants étaient nombreux sur les trottoirs, le soir était déjà tombé. A Paris la nuit

l'emporte plus vite qu'à la campagne et la violence
avec laquelle l'électricité mène le combat contribue à
prouver le poids de l'assaillante.

Elle ne s'était pas munie de ses clés parisiennes,
n'ayant pas prévu, malgré le carnet de chèques et la
jupe de rechange, de vivre si loin, mais la gardienne
possédait un double et elle se donnait le droit de
pénétrer dans un appartement qui était encore le sien
puisque la location du fils Labbé ne débutait qu'en
janvier. Elle ne demandait plus qu'un peu de temps
pour rédiger un testament qui n'aurait d'autre but que
de déshériter sa sœur, donc sa nièce. Ne pouvant
léguer son bien à ce Gréard dont elle ignorait
l'adresse, elle choisit Mme Broussais comme héritière,
certaine que si celle-ci aimait le malheur des autres ce
n'était pas par envie mais par un besoin d'émotion
tendre. Si je montais maintenant chez elle, pensa-
t-elle avec force, elle me serrerait dans ses bras en
pleurant. Mais il n'en était pas question.

La voiture rangée, elle admit qu'elle ne viendrait
pas à bout du testament d'emblée. Elle aurait besoin
d'un peu de temps. Tout à coup la mort la piqua de
son charme avec une telle précision que si, munie de
son trousseau, elle n'avait pas été réduite à quéman-
der, à mener avec la gardienne un palabre, elle aurait
couru et aurait tiré en même temps qu'elle aurait
refermé la porte de l'appartement. Mais un frein ténu
peut suffire à briser un élan si celui-ci est passager. Ne
se chargeant que de son sac à main et de la sacoche de
daim où le pistolet s'agglomérait au grouillement des
cartouches elle quitta sa voiture et marcha vers
Debussy chez qui elle comptait acquérir quelques
victuailles dont une bouteille de porto qui lui permet-
traient, tout en écrivant le testament, d'atteindre, fort

avant dans la nuit, le moment où le plaisir de mourir par bon plaisir l'emporte sur cette sacrée manie de vivre.

Elle n'avait quitté cette ville que depuis quelques jours et avait déjà oublié qu'à Paris et en un quart d'heure on voit cent fois plus de visages anonymes que de visages connus. Les visages connus elle ne les retrouva qu'à travers la vitre de Debussy, encore que deux nouveaux, un trancheur moustachu et une vendeuse rousse et tachetée de rousseur, aux lèvres gourmandes et au nez évaporé, signifiaient deux disparitions.

— N'en pas croire ses yeux ! Ghislaine, je n'en crois pas mes yeux.

Ce prénom lui dit quelque chose, les lunettes métalliques aussi. Elle contempla cet homme bouleversé, de haute taille, eut juste le temps de le prendre pour un fou avant de le reconnaître. Le musée Rodin.

— Olivier Gréard, vous vous rappelez ? demanda-t-il avec une inquiétude qui le céda aussitôt à l'enthousiasme. Ah c'est vrai, je n'en crois pas encore mes yeux ! Quand on a trop espéré quelqu'un et qu'on le retrouve, ça n'a pas l'air d'être vrai.

— Oh oui ! s'écria-t-elle enivrée par le souvenir de ses retrouvailles dans le chantier.

Aussitôt après, elle fut atterrée par une évidence : en ramenant au bercail ce petit être, elle le conduisait à la mort. L'émotion lui donna un air méchant qui inquiéta Gréard.

— Est-ce que je vous dérange ?

— A peine.

— J'aurais fini par vous retrouver de toute façon. Chaque soir j'étais ici. Depuis hier je cours les ateliers de peinture sur soie, j'ai une liste.

— Je ne m'appelle pas Ghislaine, je ne peins pas sur soie.

— Aucune importance. Etes-vous libre ce soir ?

Il avait marqué une hésitation entre *libre* et *ce soir,* donc elle avait pu s'amuser à craindre qu'il exigeât un engagement éternel. Elle ne fut pas plus rassurée par la modicité de la requête mais l'accepta puisque après tout elle avait encore le temps.

— De toute façon, je vous aurais suivie. Maintenant que je vous ai retrouvée je ne peux plus vous perdre.

— Il arrive qu'on perde celle qu'on a retrouvée. Alors que doit-on faire ? On se tue ?

— Pourquoi pas ?

Il ajouta précipitamment :

— Ce n'est pas du chantage !

— Ma question ne vous concernait pas. Soyez raisonnable, poursuivit-elle d'une voix qu'elle jugea vieillie. Si vous ne m'aviez pas trouvée qu'auriez-vous fait ce soir ?

— J'habite provisoirement l'hôtel, notre hôtel. J'ai loué la petite chambre qu'on nous avait donnée. Avant de rentrer je comptais assister à une nocturne à Vincennes, une course de trotteurs.

— Allez-y.

— Avec vous.

— J'ai des achats à faire chez Debussy.

— Nous dînerons à Vincennes. Il y a un restaurant en haut de l'hippodrome. Il est peut-être fermé parce qu'en novembre une nocturne c'est exceptionnel mais il nous restera toujours Montparnasse quand nous reviendrons.

— Vous êtes joueur, je suis buveuse.

Elle entra chez Debussy sans qu'il la lâchât d'un

pas. Il voulut payer la bouteille de porto mais elle
l'arrêta d'un regard et lui permit seulement de porter
la bouteille, encombrée qu'elle était par son sac à
main et l'arsenal qui bruissait dans le daim. Dès qu'ils
furent assis dans la voiture, il demanda avec une
impatience anxieuse :

— Ghislaine, quel est votre prénom ?

— Je m'appelle Yvonne Beaunon. Et autrefois
c'était Beaucon.

Elle eut envie de lui caresser la main, se l'interdit,
déboucha sa bouteille et, au goulot, en avala plusieurs
gorgées. Elle se retrouva aussitôt dans la petite
maison où, à cette heure, elle aurait dû allumer le feu
devant les deux intéressées. Un sanglot la secoua.
Très bref. Il ne dura pas plus que quatre ou cinq
secondes. Mais pareil à ces fugitives averses qui, sur
l'instant, trempaient le jardin de Picpus. Les joues
ruisselantes, et jusqu'au menton, elle cueillit un
kleenex dans la boîte à gants et s'épongea. Ayant
surpris le regard de son compagnon elle articula :

— Pardon, mais on m'a tué mes deux filles.

Elle ajouta que l'assassin s'était empoisonné.

Il profita d'un feu rouge pour se tourner vers elle et
la fixer des yeux.

— L'autre jour, vous m'avez fait croire que vous
étiez peintre sur soie. Ce soir, vous voudriez me faire
croire que vous êtes ivrogne et folle, pourtant je ne
pense pas que vous me méprisiez.

— Et vous avez raison.

Elle était très fâchée d'avoir pleuré. Sa honte la
confirmait dans son projet. Quand on ne sait plus se
tenir convenablement, il est décent de quitter la vie.
Convenablement était l'adverbe préféré de la tante
Claire. Prisonnière d'images qui s'imposaient et ne

luttant que contre celles qui étaient redoutables, elle accepta le visage de la tante Claire et la couleur de sa couperose apparemment rassurante. La tante Claire voulait qu'on pliât sa serviette convenablement, qu'on tînt les jambes serrées convenablement au lieu de les croiser ou de les écarter. Mais, par sa consonance comme par l'empreinte dont il avait marqué ce visage, le mot couperose infligeait l'image d'un pétale veiné et gercé où il était impossible de ne pas retrouver la fleur qu'un petit museau avait humée sur la façade de la maison. Mlle Beaunon domina un nouveau sanglot et déclara aussitôt :

— Il est probable que je suis vraiment une ivrogne et une folle.

— Nul n'est parfait. Et je n'aimerais pas que vous soyez parfaite. Je vous veux comme vous êtes.

Il désigna une masse opaque et annonça avec exaltation :

— Le château de Vincennes !

Un encombrement les arrêta à la hauteur d'un car qu'un réverbère éclairait. Les visages tendus, les uns par une espérance traversée de peur, les autres par une résignation où subsistait une foi superstitieuse au point de se dissimuler, certains par la mécanique lassitude de qui retourne au bureau ou à l'usine, se ressemblaient.

— C'est un car de joueurs. Il les transporte du métro à l'hippodrome.

Ce véhicule annonçait la proximité du temple où se célébrait un culte qui lui faisait perdre la tête. Il sentit qu'il avait trahi une faiblesse et ajouta précipitamment :

— Ce n'est pas le jeu qui m'attire. J'aime que nous venions ici ensemble.

Cet homme qui avait conduit normalement jusqu'alors fit hurler sa boîte de vitesses. Il doublait imprudemment et elle apprit par sa peur qu'on peut être décidé à mourir et redouter un accident. Ils aperçurent le champ de courses et passèrent à côté des vans qui, comme pour mettre en garde les joueurs, portaient tous la même inscription : « Attention chevaux. » Pendant qu'elle imaginait l'enchanteur parfum du crottin, il avait engagé la voiture dans une petite route transversale qui plongeait à travers des arbres parisiens dont le naturel est soumis à la cité. Le moteur se tut. Ils étaient seuls. Elle crut et même espéra qu'il en profiterait. Il lui était arrivé de lier sa prochaine rencontre avec lui à un acte de sodomie. Cet acte n'eut pas lieu et tous deux, à pied, retrouvèrent la route principale et bientôt la foule qui s'accumulait devant les portes de l'hippodrome. Pendant que Gréard faisait la queue devant un guichet où se débitaient les tickets d'entrée elle se laissa absorber par le spectacle de hautes flammes éblouissantes où grésillaient des brochettes. L'odeur de la graisse brûlée était entêtante comme un encens et les fluctuations lumineuses semblaient assez régulières dans leur irrégularité pour délivrer de la pensée sauf si celle-ci revenait vers un autre brasier devant lequel une phrase avait été prononcée : « Nous sommes bien ici toutes les trois. » Je n'y échapperai jamais ! se dit-elle, et pourrait-on préciser : s'écria-t-elle. Car il y a entre les diverses voix intérieures autant de diversité qu'entre celles qui s'échappent des cordes vocales.

Elle se glissa parmi les amateurs de brochettes pour au moins profiter de la chaleur car l'été de la Saint-Martin chancelait, attiré par un hiver que ni l'une ni l'autre ne connaîtraient elles qui n'en avaient connu aucun. Un champ de conscience est plus dangereux qu'un champ de mines où l'on peut s'immobiliser en sécurité et souffler à son aise, car le champ de conscience se déplace et vous glisse les mines sous les pieds. Elle attendait la prochaine explosion.

Il l'avait prise par le bras et la guidait à travers des halls et des escaliers. Il parlait. Il lui montrait le programme, commentait une appréciation de son journal de courses. Elle fut surprise par l'air frais et quand il l'eut entraînée de gradins en gradins et qu'il eut posé le journal sur le béton en l'invitant à s'asseoir, elle se décida à regarder et constata qu'elle était encore sensible à une émotion gratuite. Le spectacle que lui offrait l'hippodrome mobilisait son attention. La piste enserrait, étincelante, une vaste pelouse dont le vert, sur la bordure, était exaspéré par les projecteurs. A la télévision, elle avait assisté par hasard à des courses sans leur accorder d'intérêt, sachant une fois pour toutes qu'il y a toujours des chevaux qui courent plus vite que les autres, mais leur apparition dans le virage la troubla. Comme les sulkys et les jockeys, les chevaux étaient proches à se frôler. Les couleurs des robes, des casaques et des toques se heurtaient et se mêlaient, flots de fleurs coupées entraînés par un mouvement presque uniforme. Cette piste était un bijou qu'entourait un écrin de bois obscurs, eux-mêmes dominés par la haute falaise de Paris nocturne saupoudré d'électricité. C'était plus beau que la tour Montparnasse parce que ça bougeait. Le monde se révélait un démon qui s'ingéniait à la retenir. Sur un écran lumineux les résultats étaient apparus qui provoquaient des discussions parmi les gradins, mais non des querelles. Déjà elle avait remarqué que ces gens étaient polis, qu'ils vous tenaient la porte, qu'ils vous demandaient pardon quand ils vous frôlaient. Contre toute attente, la passion leur avait inoculé une douceur.

— Dans la troisième je jouerai en jumelé Liane et Lady.

De nouveau il l'entraînait. Elle retrouva la chaleur des galeries intérieures. Devant des guichets les parieurs faisaient la queue.

— Je ne jouerai pas, dit-il. Maintenant que je vous ai retrouvée je n'ai plus besoin de faire semblant de vivre. Allons dîner.

Il la poussait le long d'escaliers interminables. Le menu était affiché. Elle refusa net.

— Regardez le prix ! C'est beaucoup trop cher.

— Alors, rentrons dîner à Paris.

Ils redescendirent. Elle freinait ; son regard cherchait. Il l'interrogea. Elle répondit. Il s'extasia :

— Les toilettes ! Comme au musée Rodin !

Enfermée dans le blanc inerte d'une cellule des toilettes, elle tira le petit tueur de sa sacoche. Aussitôt celles que la tante Claire appelait les « mauvaises raisons » se présentèrent. On ne finit pas sa vie en un lieu qui est innommable et n'appelle pour le désigner que des euphémismes. Et surtout : s'il est inconvenant de sangloter devant un presque inconnu, il est pis, en se tuant dans les chiottes, d'entraîner ce presque inconnu à des recherches qui, lorsqu'elles auraient abouti, le conduiraient à s'expliquer inexplicablement avec la police. En outre le testament restait à écrire et elle n'avait pas réglé les honoraires du vétérinaire. Quand elle retrouva Gréard il était essoufflé, il soupirait :

— Je croyais vous avoir perdue !

— Il faut que tu t'habitues à me perdre.

Et, sachant qu'il ne pouvait pas savoir, elle ajouta :

— Tu sais.

Emu, il se laissa aller à la douceur du souvenir.

— Quand je pensais à vous, donc tout le temps, je vous tutoyais en esprit.

— Moi aussi je pensais à vous.

Elle allait lui avouer qu'il était introuvable à Gravelines mais il l'interrompit :

— Une algue bleue n'a besoin de personne.

Elle fut caressée par un souffle d'espoir.

— Etes-vous sûr que je suis une algue bleue ?

— Trop sûr. Vous n'aurez jamais besoin de moi et vous me garderez parce que je ne vous dérangerai pas.

Dans le hall d'entrée, il l'aida à distinguer quelques hommes qui avec des attitudes différentes poursuivaient le même but. Des tickets formaient un tapis de feuilles mortes sur le sol. Les perdants qui étaient sortis avant la quatrième course s'étaient débarrassés de ces témoignages d'espoir déçu sur lesquels quatre ou cinq chercheurs d'or fixaient leur regard. Les uns s'accroupissaient, fouillaient avec des doigts impatients et compétents, avançant d'un pas sans se relever, les autres marchaient avec une lenteur qu'on aurait pu croire rêveuse. L'un d'eux était muni d'une canne dont l'extrémité consistait en une tige acérée grâce à laquelle il pouvait piquer un billet et l'élever vers ses yeux pour l'examiner.

— Il y a des joueurs qui comprennent mal les résultats, qui désespèrent trop vite, jettent un billet gagnant et il doit y en avoir beaucoup puisque ces fouilleurs d'épaves sont fidèles au poste.

— Il arriverait donc qu'on renonçât trop facilement, sans se donner le temps de réfléchir et de durer. Par précipitation on commettrait une erreur.

Visiblement, il s'efforça de saisir le sens secret d'un propos banal qui était tenu avec une lenteur extrême et une gravité donnant à penser que ces mots répondaient à une question de vie ou de mort.

Ensemble ils reçurent la morsure du vent nocturne puis de l'ardeur du bûcher où flambaient toujours les brochettes.

Achevé d'imprimer le 15 septembre 1982
sur presse CAMERON
dans les ateliers de la S.E.P.C.
à Saint-Amand-Montrond (Cher)
pour le compte des éditions Grasset
61, rue des Saints-Pères, 75006 Paris

N° d'Édition : 5915. N° d'Impression : 1853/1152
Dépôt légal octobre 1982

Imprimé en France

ISBN 2-246-27061-8